Bernhard Schlink is een meester in het weergeven van de complexiteit van het leven. – *Trouw*

Ik heb nog nooit een boek gelezen dat zo'n inzicht geeft in hoe het is om een Duitser te zijn, jong genoeg om met die hele ellende niets te maken te hebben gehad, en tot de ontdekking te komen dat je er een diepe binding mee hebt waar geen macht ter wereld je uit kan verlossen.
– Rudy Kousbroek in *NRC Handelsblad*

Bernhard Schlink combineert scherpzinnig inzicht in de psyche van zijn personages met begrip voor hun dilemma's. Daarmee heeft hij wereldwijd veel lezers gevonden. De hoogleraar Schlink mag dan een expert in het wetboek zijn, de schrijver Schlink is een moedig onderzoeker van een verraderlijk terrein: het menselijk hart. – *Newsweek*

Schlink bewijst geen schrijver te zijn die op goedkoop effect uit is. – *Vrij Nederland*

Hoe langzamer en zorgvuldiger je het prachtige verhaal volgt, hoe complexer en ambivalenter het wordt, en hoe moeilijker samen te vatten. – *The New York Review of Books*

Bernhard Schlink bij Uitgeverij Cossee

Bernhard Schlink

De voorlezer

Vertaling
Gerda Meijerink

Cossee
Amsterdam

Negende druk 2009

Oorspronkelijke titel *Der Vorleser*
© 1995 Diogenes Verlag
Nederlandse vertaling © 2003 Gerda Meijerink
en Uitgeverij Cossee bv, Amsterdam
Omslagillustratie Benelux Film Distributors
Boekverzorging Marry van Baar
Druk Krips, Meppel

ISBN 978 90 5936 255 0 | NUR 302

DEEL EEN

I

TOEN IK VIJFTIEN was, kreeg ik geelzucht. De ziekte begon in de herfst en eindigde in het voorjaar. Hoe kouder en donkerder het oude jaar werd, hoe ellendiger ik me voelde. Pas met het nieuwe jaar ging het de goede kant op. Januari was warm en mijn moeder maakte een bed voor me op het balkon. Ik zag de hemel, de zon, de wolken en hoorde de kinderen spelen op de binnenplaats. Vroeg op een avond in februari hoorde ik een merel zingen.

Mijn eerste wandeling bracht me van de Blumenstrasse, waar we op de tweede verdieping woonden van een kast van een huis dat rond de eeuwwisseling was gebouwd, naar de Bahnhofstrasse. Daar had ik op een maandag in oktober op weg van school naar huis staan overgeven. Al dagenlang had ik me ellendig gevoeld, ellendiger dan ooit in mijn leven. Elke stap kostte me inspanning. Als ik thuis of op school een trap op liep, konden mijn benen me nauwelijks dragen. Ik had ook geen zin in eten. Zelfs als ik hongerig aan tafel ging, voelde ik algauw weerzin opkomen. 's Ochtends werd ik wakker met een droge mond en met het gevoel alsof mijn organen zwaar en verkeerd in mijn lijf lagen. Ik schaamde me dat ik er zo ellendig aan toe was. Ik schaamde me vooral toen ik stond over te geven. Ook dat was me mijn hele leven nog nooit overkomen. Mijn mond liep vol, ik probeerde het weg te slikken, perste mijn lippen op elkaar, hand voor mijn mond, maar het golfde mijn mond uit en tussen mijn vingers door. Toen zocht ik steun tegen de huismuur, keek naar het braaksel aan mijn voeten en kokhalsde alleen nog maar slijm.

De vrouw die zich over mij ontfermde deed dat bijna ruw. Ze pakte mijn arm en leidde me door de donkere gang naar de binnenplaats. Boven waren van raam tot raam drooglijnen gespannen en hing was. Op de binnenplaats lag hout opgeslagen; in een werkplaats waarvan de deur openstond, snerpte een zaag en vlogen de spaanders in het rond. Naast de deur naar de binnenplaats was een kraan. De vrouw draaide de kraan open, waste eerst mijn hand en smeet toen het water dat ze met haar holle handen opving in mijn gezicht. Ik droogde mijn gezicht af met mijn zakdoek.

'Neem jij de andere!' Naast de kraan stonden twee emmers, ze pakte er een en liet hem vollopen. Ik pakte de andere emmer, vulde die en volgde haar door de gang. Ze haalde wijd uit, het water kletste op het trottoir en spoelde het braaksel in de goot. Ze nam de emmer uit mijn hand en liet nog een plens water over het trottoir lopen.

Ze richtte zich op en zag dat ik huilde. 'Jochie,' zei ze verbaasd, 'jochie.' Ze sloeg haar armen om me heen. Ik was nauwelijks groter dan zij, voelde haar borsten tegen mijn borst, rook in de benauwenis van de omarming mijn slechte adem en haar verse zweet en wist niet wat ik met mijn armen moest doen. Ik hield op met huilen.

Ze vroeg me waar ik woonde, zette de emmers in de gang en bracht me naar huis. Ze liep naast me, in haar ene hand mijn schooltas en in haar andere mijn arm. Het is niet ver van de Bahnhofstrasse naar de Blumenstrasse. Ze liep snel en met een vastberadenheid die het me gemakkelijk maakte om haar bij te houden. Voor ons huis nam ze afscheid.

Dezelfde dag liet mijn moeder de dokter komen, die geelzucht constateerde. Ik moet mijn moeder over die vrouw hebben verteld. Ik geloof niet dat ik haar anders zou hebben bezocht. Maar voor mijn moeder was het vanzelfsprekend dat ik, zodra ik kon, van mijn zakgeld een bos bloemen zou kopen en haar zou gaan opzoeken om haar te bedanken. Zo ging ik eind februari naar de Bahnhofstrasse.

2

HET HUIS IN de Bahnhofstrasse is er nu niet meer. Ik
weet niet wanneer en waarom het werd afgebroken.
Jarenlang ben ik niet meer in mijn geboortestad geweest. Het nieuwe huis, in de jaren zeventig of tachtig
gebouwd, bevat vijf verdiepingen en een uitgebouwde
zolderverdieping, het heeft geen erkers of balkons en
het pleisterwerk is glad en licht van kleur. Veel belknoppen duiden op veel kleine appartementen, appartementen die je betrekt en vervolgens weer verlaat, zoals je een
huurauto neemt en weer aflevert. Beneden zit momen-
teel een computerwinkel; vroeger zaten daar een drogis-
terij, een supermarkt en een videotheek.

Het oude huis was even hoog maar had vier verdiepingen: een benedenverdieping van geslepen blokken
zandsteen en daarboven drie verdiepingen van baksteen
met zandstenen erkers, balkons en kozijnen. Naar de
benedenverdieping en het trappenhuis leidden een paar
treden, beneden breder en boven smaller, en aan weerszijden daarvan bevonden zich muurtjes met smeedijzeren balustrades die aan de onderkant spiraalvormig uit-
liepen. De deur werd geflankeerd door zuilen en vanaf
de hoeken van de architraaf keek een leeuw naar links
over de Bahnhofstrasse uit en een andere leeuw keek
naar rechts. De toegangsdeur waar de vrouw mij door-

heen had gebracht naar de kraan op de binnenplaats, was de zij-ingang.

Als kleine jongen had ik het huis al opgemerkt. Het domineerde de huizen links en rechts ervan. Als het zich nog zwaarder en breder zou maken, dacht ik, dan zouden de belendende huizen een stukje moeten opschuiven om plaats te maken. Binnen stelde ik me een trappenhuis voor met pleisterwerk, spiegels en een traploper met oosterse motieven, die door glimmende koperen roeden op zijn plaats werd gehouden. Ik verwachtte dat er in dat voorname huis ook voorname mensen woonden. Maar omdat het huis door de jaren en door de rook van de treinen donker was geworden, stelde ik me de voorname bewoners ook voor als sombere mensen, een beetje zonderling geworden, misschien doof of stom, gebocheld of kreupel.

Steeds weer heb ik in later jaren van het huis gedroomd. De dromen leken op elkaar, het waren variaties op één droom en één thema. Ik loop door een vreemde stad en zie het huis. In een wijk die ik niet ken, staat het tussen de andere huizen. Ik loop door, onzeker omdat ik wel het huis, maar niet de stadswijk ken. Dan schiet me te binnen dat ik het huis al eens eerder heb gezien. Ik denk dan niet aan de Bahnhofstrasse in mijn geboortestad, maar aan een andere stad of een ander land. Ik ben in mijn droom bijvoorbeeld in Rome, zie daar het huis en herinner me dat ik het al eens in Bern heb gezien. Met die gedroomde herinnering ben ik gerustgesteld; het huis in de andere omgeving terug te zien, komt me niet merkwaardiger voor dan het toevallige weerzien met een oude vriend in een vreemde omgeving. Ik keer om, loop terug naar het huis en de stoep op. Ik wil naar binnen gaan. Ik druk de deurklink naar beneden.

Wanneer ik het huis op het platteland zie, duurt de

droom langer of herinner ik me later de details beter. Ik rij rond in een auto. Ik zie het huis aan de rechterkant en rij verder, aanvankelijk alleen maar verward over het feit dat een huis dat duidelijk in een straat hoort te staan, in het vrije veld staat. Dan schiet me te binnen dat ik het al eens eerder heb gezien en voel me nog veel verwarder. Als ik me herinner waar ik het al eens ben tegengekomen, keer ik om en rij terug. De weg is in de droom altijd leeg, ik kan met piepende banden omkeren en met grote snelheid terugrijden. Ik ben bang te laat te komen en rij harder. Dan zie ik het. Het staat midden in de velden: koolzaad, koren of wijn in de Palts, lavendel in de Provence. De omgeving is vlak, hoogstens een beetje heuvelachtig. Er zijn geen bomen. De dag is kraakhelder, de zon schijnt, de lucht zindert en de weg blakert van de hitte. De raamloze zijmuren geven het huis een afgesneden, ontoegankelijk aanzien. Het zouden de zijgevels van een willekeurig huis kunnen zijn. Het huis is niet somberder dan in de Bahnhofstrasse. Maar de ramen zijn heel stoffig en daardoor kun je niets onderscheiden in de vertrekken, zelfs geen gordijnen. Het huis is blind.

Ik zet de auto neer aan de kant van de weg en steek de weg over naar de ingang. Er is niemand te zien, niets te horen, niet eens een verre motor, wind, een vogel. De wereld is dood. Ik loop de stoep op en druk de klink naar beneden.

Maar ik doe de deur niet open. Ik word wakker en weet alleen dat ik de klink heb gepakt en naar beneden heb gedrukt. Dan herinner ik me de hele droom en ook dat ik hem al eerder heb gedroomd.

3

IK WIST DE naam van de vrouw niet. Met de bos bloemen in mijn hand stond ik besluiteloos voor de deur en de belknoppen. Ik had liever rechtsomkeer gemaakt. Maar toen kwam er een man het huis uit, vroeg naar wie ik op zoek was en stuurde me naar mevrouw Schmitz op de derde verdieping.

Geen pleisterwerk, geen spiegels, geen loper. Wat het trappenhuis oorspronkelijk bezeten mocht hebben aan pretentieloze, met de fraaie voorgevel niet te vergelijken schoonheid, was allang vergaan. De rode verf van de traptreden was in het midden afgesleten, het groene linoleum met reliëf, waarmee de muur aan weerszijden van de trap was bekleed, was sleets geworden, en waar in de trapleuning de spijlen ontbraken, waren touwen gespannen. Het rook er naar schoonmaakmiddelen. Het kan ook zijn dat dit alles me pas later is opgevallen. Het was er altijd even armoedig en even schoon en er hing altijd dezelfde geur van schoonmaakmiddelen, soms gemengd met de geur van kool of bonen, van gebraden vlees of kookwas. Van de andere bewoners van het huis ben ik nooit meer te weten gekomen dan deze geuren, de schoenenschrapers voor hun deuren en de naambordjes onder de belknoppen. Ik herinner me niet dat ik in het trappenhuis ooit een andere bewoner ben tegengekomen.

Ik herinner me ook niet hoe ik mevrouw Schmitz heb begroet. Waarschijnlijk had ik zo goed en zo kwaad als het ging twee, drie zinnen over mijn ziekte, haar hulp en mijn dank voorbereid en heb ik die opgedreund. Ze nodigde me binnen in haar keuken.

De keuken was het grootste vertrek van de woning. Er stonden een kachel en een spoelbak, een badkuip en een kachel om het badwater te verwarmen, een tafel en twee stoelen, een keukenkast, een klerenkast en een zitbank. Over de zitbank lag een rode fluwelen deken. De keuken had geen ramen. Licht viel door de ruiten in de deur die naar het balkon leidde. Niet veel licht – alleen wanneer de deur openstond viel er veel licht in de keuken. Dan hoorde je uit de meubelmakerij op de binnenplaats het snerpen van de zaag en rook je het hout.

Bij de woning hoorde ook nog een kleine smalle woonkamer met een buffet, een tafel, vier stoelen, een fauteuil en een kachel. Die kamer werd in de winter bijna nooit verwarmd en ook in de zomer bijna nooit gebruikt. Door het raam aan de kant van de Bahnhofstrasse keek je uit over het terrein van het voormalige station, waar ze almaar aan het graven waren en waar hier en daar al de fundamenten voor nieuwe gerechts- en overheidsgebouwen waren gelegd. Ten slotte hoorde er nog een raamloze wc bij de woning. Als het stonk in de wc, stonk het ook in de gang.

Ik herinner me ook niet meer wat we in de keuken tegen elkaar hebben gezegd. Mevrouw Schmitz stond te strijken; ze had een wollen deken en een linnen doek over de tafel gelegd en haalde het ene stuk wasgoed na het andere uit de mand, streek het, vouwde het op en legde het op een van de beide stoelen. Op de andere zat ik. Ze streek ook haar ondergoed, en ik wilde er niet naar kijken maar kon tegelijk mijn ogen er niet van afhouden. Ze droeg een mouwloze jasschort, blauw met kleine, bleke, rode bloemetjes. Ze had haar schouderlange, asblonde haar in haar nek met een haarspeld bijeengebonden. Haar blote armen waren bleek. De gebaren waarmee ze het strijkijzer oppakte, hanteerde en neerzette en vervolgens het gestreken wasgoed opvouwde en weglegde, waren langzaam en geconcentreerd, en even langzaam en geconcentreerd bewoog ze zich, bukte ze en richtte ze zich op. Over haar gezicht van toen zijn in mijn herinnering haar latere gezichten geschoven. Wanneer ik haar beeld in mij oproep, zoals ze in die tijd was, dan verschijnt ze zonder gezicht. Ik moet het reconstrueren. Hoog voorhoofd, hoge jukbeenderen, bleekblauwe ogen, volle, in één enkele boog gewelfde lippen, krachtige kin. Een robuust vrouwelijk gezicht met grote vlakken. Ik weet dat ik het mooi vond. Maar ik zie de schoonheid ervan niet voor me.

4

'WACHT NOG EVEN,' zei ze toen ik opstond om weg te gaan, 'ik moet er ook uit en loop een stukje met je mee.'

Ik wachtte in de gang. Ze verkleedde zich in de keuken. De deur stond op een kier. Ze trok de jasschort uit en stond in een lichtgroene onderjurk. Over de leuning van de stoel hingen twee kousen. Ze pakte er een en maakte er met beurtelings grijpende handen een rol van. Ze balanceerde op één been, zocht met de hiel van haar andere been steun op de knie, boog voorover, stulpte de opgerolde kous over haar tenen, zette haar tenen op de stoel, trok de kous over kuit, knie en dij, boog opzij en bevestigde de kous aan de jarretels. Ze richtte zich op, haalde haar voet van de stoel en reikte toen naar de andere kous.

Ik kon mijn ogen niet van haar afhouden. Van haar nek en van haar schouders, van haar borsten die door de onderjurk meer werden omhuld dan verborgen, van haar billen waarover de onderjurk spande toen ze haar voet op haar knie liet steunen en op de stoel zette, van haar been, eerst bloot en bleek en daarna in de kous zijig glanzend.

Ze voelde mijn blik. Toen ze de andere kous wilde pakken, onderbrak ze haar beweging, draaide zich naar de deur en keek me aan. Ik weet niet hoe ze keek – verwonderd, vragend, begrijpend, berispend. Ik werd rood. Een kort ogenblik bleef ik met een gloeiend gezicht staan. Toen hield ik het niet meer uit, verliet hals over kop haar woning, rende de trap af en het huis uit.

Ik liep langzaam. Bahnhofstrasse, Häusserstrasse, Blumenstrasse – sinds jaren was het de route die ik nam naar school. Ik kende elk huis, elke tuin en elk tuinhek, het hek dat elk jaar opnieuw werd geverfd, het hek waarvan het hout zo grijs en rot was geworden dat ik het met mijn hand kapot kon maken, de smeedijzeren hekken waar ik als kind langs rende terwijl ik de spijlen met een stok tot klinken bracht, en de hoge bakstenen muren waarachter ik wonderbaarlijke en verschrikkelijke dingen had gefantaseerd, tot ik erop kon klimmen en de saaie rijen verwaarloosde bloemen-, bessen- en groentebedden zag. Ik kende de kinderhoofdjes en de asfaltbestrating en de afwisseling tussen betonplaten, in golven gelegde basaltblokjes, asfalt en grof grind op het trottoir.

Alles was me vertrouwd. Toen mijn hart niet meer sneller klopte en mijn gezicht niet meer gloeide, was de ontmoeting tussen keuken en gang ver weg. Ik had de schurft in. Ik was als een kind weggelopen in plaats van soeverein te reageren zoals ik van mij zelf verwachtte. Ik was geen negen meer, ik was vijftien. Toch was het me een raadsel wat voor soevereine reactie dat dan wel had moeten zijn.

Het andere raadsel was de ontmoeting tussen keuken en gang zelf. Waarom had ik mijn ogen niet van haar af kunnen houden? Ze had een heel stevig en heel vrouwelijk lichaam, voller dan de meisjes die mij bevielen en die ik nakeek. Ik was er zeker van dat ze me niet zou zijn opgevallen wanneer ik haar in het zwembad had gezien. Ze had zich ook niet naakter aan mij vertoond dan ik meisjes en vrouwen al in het zwembad had gezien. Bovendien was ze veel ouder dan de meisjes van wie ik droomde. Boven de dertig? Het is moeilijk om een leeftijd te schatten die je zelf nog niet bent gepasseerd of op je af ziet komen.

Jaren later bedacht ik dat ik niet simpelweg door haar lichaam maar door haar houdingen en bewegingen mijn ogen niet van haar af had kunnen houden. Ik verzocht mijn vriendinnen kousen aan te trekken, maar ik had er geen zin in om mijn verzoek toe te lichten, om het raadsel van de ontmoeting tussen keuken en gang te vertellen. Zo kwam mijn verzoek over als een behoefte aan jarretels en kant en erotische extravagantie, en wanneer die behoefte werd vervuld, gebeurde dat in een kokette pose. Dat was het niet waarvan ik mijn ogen niet had kunnen afhouden. Ze had niet geposeerd, niet gekoketteerd. Ik herinner me ook niet dat ze dat ooit heeft gedaan. Ik herinner me dat haar lichaam, haar houdingen en bewegingen soms een zware en trage indruk maakten. Niet dat ze zo dik was. Het leek er eerder op dat ze zich had teruggetrokken in het binnenste van haar lichaam, dat ze dat lichaam aan zichzelf en aan zijn eigen, door geen bevel van het hoofd gestoorde kalme ritme had overgelaten en de wereld buiten was vergeten. Datzelfde in-zichzelf-gekeerd-zijn zat in de houdingen en bewegingen waarmee ze haar kousen aantrok. Maar hierbij was ze niet zwaar en traag, maar soepel, bevallig, verleidelijk – een verleidelijkheid die niet uitgaat van borsten en billen en benen, maar die een uitnodiging is om binnen in het lichaam de wereld te vergeten.

Dat wist ik toen niet – als het al zo is dat ik het nu wél weet en niet zomaar van alles bij elkaar verzin. Maar doordat ik destijds nadacht over wat me zo had opgewonden, kwam de opwinding weer terug. Om het raadsel op te lossen, haalde ik de ontmoeting terug in mijn herinnering, en de distantie die ik had gecreëerd door er een raadsel van te maken, werd opgeheven. Ik zag alles weer voor me en weer kon ik er mijn ogen niet van afhouden.

5

EEN WEEK LATER stond ik weer voor haar deur.

Een week lang had ik geprobeerd om niet aan haar te denken. Maar er was niets wat me had kunnen boeien of afleiden; de dokter stond nog niet toe dat ik naar school ging, van boeken had ik na maandenlang lezen schoon genoeg en mijn vrienden kwamen weliswaar op bezoek, maar ik was al zo lang ziek dat hun bezoekjes de afstand tussen hen en mijn alledaagse bezigheden niet meer konden overbruggen en van steeds kortere duur werden. Ik moest wandelingen maken, elke dag een stukje verder, zonder me in te spannen. Maar inspanning had ik juist goed kunnen gebruiken.

Wat zijn de perioden van ziekte tijdens je kindertijd en je jeugd toch een magische tijd! De buitenwereld, de wereld van de vrije tijd op de binnenplaats of in de tuin of op straat, dringt alleen met gedempte geluiden tot de kamer van de zieke door. Daarbinnen woekert de wereld van de verhalen en de personages waarover de zieke leest. De koorts, die de waarneming verzwakt en de fantasie verscherpt, verandert de kamer van de zieke in een nieuw, tegelijkertijd vertrouwd en vreemd vertrek; monsters grijnzen je toe vanuit de motieven van de gordijnen en het behang, en stoelen, tafels, boekenplanken en kast torenen boven je uit als gebergten, gebouwen of schepen, tegelijkertijd tastbaar dichtbij en op grote afstand. In lange nachtelijke uren wordt de zieke begeleid door het slaan van de kerkklok, het ronken van af en toe passerende auto's en de weerschijn van hun koplampen die tastend over muren en deken glijdt. Het zijn uren zonder slaap, maar geen slapeloze uren, niet uren van gebrek, maar uren van overvloed. Verlangens, herinneringen, angsten, lusten vormen labyrinten waarin de zieke zichzelf verliest, ontdekt en weer verliest. Het zijn uren waarin alles mogelijk wordt, het goede zowel als het slechte.

Dat wordt minder wanneer het beter gaat met de zieke. Maar als de ziekte lang genoeg heeft geduurd, dan is de kamer van de zieke geïmpregneerd en is zelfs de genezende die geen koorts meer heeft, de weg kwijt geraakt in de labyrinten.

Ik werd elke ochtend wakker met een slecht geweten, vaak met een natte of bevlekte pyjamabroek. De beelden en voorstellingen waarvan ik droomde, waren niet in de haak. Ik wist dat mijn moeder, de dominee bij wie ik belijdenis had gedaan en voor wie ik heel veel bewondering koesterde, en mijn oudere zusje aan wie ik de geheimen van mijn prille jeugd had toevertrouwd, me heus niet zouden berispen. Maar ze zouden me tot de orde roepen op een liefdevolle, bezorgde manier die erger was dan een standje. Het was helemaal niet in de haak dat ik de beelden en voorstellingen, wanneer ik ze niet passief droomde, actief fantaseerde.

Ik weet niet waar ik de moed vandaan haalde om naar mevrouw Schmitz te gaan. Keerde mijn morele opvoeding zich in zekere zin tegen zichzelf? Als de begerige blik even erg was als de bevrediging van de begeerte, het actieve fantaseren even erg als de gefantaseerde daad – waarom dan niet de bevrediging én de daad? Ik ervoer dag in dag uit dat ik niet kon ophouden met mijn zondige gedachten. Maar dan wilde ik ook de zondige daad.

Er was nog een andere overweging. Erheen gaan kon gevaarlijk zijn. Maar eigenlijk was het onmogelijk dat het gevaar werkelijkheid zou worden. Mevrouw Schmitz zou me verbaasd begroeten, mijn excuus voor mijn merkwaardige gedrag aanhoren en mij weer vriendelijk laten vertrekken. Gevaarlijker was het om er niet heen te gaan; ik liep het gevaar niet los te komen van mijn fantasieën. Dus was het het beste als ik erheen ging. Ze zou zich normaal gedragen, ik zou me normaal gedragen, en alles zou weer normaal zijn.

Zo was ik in die tijd aan het haarkloven, smeedde mijn begeerte om tot een merkwaardige morele berekening en bracht mijn slechte geweten tot zwijgen. Maar dat gaf me nog niet de moed om naar mevrouw Schmitz te gaan. Het verzinnen van redenen waarom mijn moeder, de bewonderde dominee en mijn grote zusje, als ze er goed over zouden nadenken, mij er niet van mochten weerhouden, maar mij er juist toe zouden moeten aanzetten om naar haar toe te gaan, was één ding. Daadwerkelijk naar haar toe gaan was iets totaal anders. Ik weet niet waarom ik het deed. Maar ik herken nu in wat er toen is gebeurd het patroon waarnaar mijn hele leven lang denken en handelen zich hebben samengevoegd of niet hebben samengevoegd. Ik denk, kom tot een conclusie, houd die conclusie vast in de vorm van een beslissing en merk dat het handelen een zaak is die op zichzelf staat en op de beslissing kán volgen, maar niet hóeft te volgen. Vaak genoeg heb ik in de loop van mijn leven dingen gedaan waartoe ik niet had besloten, en dingen niet gedaan waartoe ik wél had besloten. Het, wat het ook mag zijn, handelt; het gaat naar de vrouw toe die ik niet meer wil zien, maakt tegen een superieur een opmerking waarmee ik me in de nesten werk, gaat door met roken hoewel ik heb besloten met roken te stoppen, en houdt op met roken nadat ik heb ingezien dat ik een roker ben en zal blijven. Ik bedoel niet te zeggen dat denken en beslissen geen invloed op het handelen hebben. Maar het handelen voert niet zonder meer uit wat vooraf is gedacht en beslist. Het heeft zijn eigen bron en is op een even zelfstandige manier mijn handelen als mijn denken mijn denken is en mijn beslissen mijn beslissen.

6

ZE WAS NIET thuis. De toegangsdeur naar het huis stond op een kier, ik liep de trap op, belde aan en wachtte. Ik drukte nog een keer op de bel. In de woning stonden de deuren open, ik zag het door het glas van de huisdeur en herkende in de gang de spiegel, de kapstok en de klok. Die kon ik horen tikken.

Ik ging op de trap zitten en wachtte. Ik voelde me niet opgelucht, zoals dat gaat met iemand die iets met knikkende knieën beslist en bang is voor de consequenties en blij is dat hij zijn besluit ten uitvoer heeft gebracht en dat de consequenties hem bespaard zijn gebleven. Ik was ook niet teleurgesteld. Ik was vastbesloten haar te zien, en te wachten tot ze zou komen.

De klok in de gang sloeg kwartieren, halve en hele uren. Ik probeerde het zachte tikken te volgen en de negenhonderd seconden van de ene slag tot de volgende mee te tellen, maar liet me steeds weer afleiden. Op de binnenplaats snerpten de zagen van de meubelmaker, in het huis drongen stemmen of muziek uit een woning naar buiten, sloeg een deur. Toen hoorde ik hoe iemand met gelijkmatige, langzame, zware tred de trap opkwam. Ik hoopte dat hij op de tweede verdieping woonde. Als hij me zou zien – hoe zou ik duidelijk moeten maken wat ik hier deed? Maar de stappen stopten niet op de tweede verdieping. Ze gingen verder. Ik stond op.

Het was mevrouw Schmitz. In haar ene hand droeg ze een kolenkit, in haar andere een houder met briketten. Ze had een uniform aan, jasje en rok, en daaraan zag ik dat ze tramconductrice was. Ze had me niet in de gaten tot ze de overloop had bereikt. Ze keek niet geïrriteerd, niet verbaasd, niet spottend – niets van alles wat ik had gevreesd. Ze zag er moe uit. Toen ze de kolen op de grond had gezet en in de zak van haar jasje naar de sleutels zocht, vielen er een paar muntstukken op de grond. Ik raapte ze op en gaf ze aan haar.

'Beneden in de kelder staan nog twee kitten. Wil jij ze vullen en naar boven brengen? De deur is open.'

Ik rende de trappen af. De deur naar de kelderverdieping stond open, het licht in de kelder was aan, en onder aan de lange keldertrap vond ik een berghok waarvan de deur op een kier stond en het open ringslot aan de grendel hing. Het was een grote ruimte en de cokes vormde een berg tot aan het luik onder het plafond waardoor ze vanaf de straat in de kelder was gestort. Naast de deur waren aan de ene kant de briketten keurig opgestapeld en stonden aan de andere kant de kolenkitten.

Ik weet niet wat ik fout heb gedaan. Thuis haalde ik ook kolen uit de kelder en daarmee had ik nooit problemen. Het was wel zo dat de cokes thuis niet zo hoog lag opgetast. Het vullen van de eerste kit ging goed. Toen ik ook de tweede bij het handvat pakte en de cokes beneden aan de berg wilde opscheppen, kwam de berg in beweging. Van bovenaf huppelden kleine stukjes in grote en kleine sprongen naar beneden, verder omlaag begon alles te glijden en op de grond te rollen en te schuiven. Zwart stof wolkte omhoog. Ik bleef geschrokken staan, werd door een paar brokken geraakt en stond algauw tot aan mijn enkels in de cokes.

Toen de berg tot stilstand kwam, stapte ik uit de cokes, vulde de twee kolenkitten, zocht en vond een bezem waarmee ik de brokken cokes die de keldergang in waren gerold het kolenhok in veegde, deed de deur op slot en sjouwde de twee kolenkitten de trap op.

Ze had haar jasje uitgetrokken, haar stropdas losgemaakt, de bovenste knoop geopend en zat met een glas melk aan de keukentafel. Ze zag me, liet eerst een ingehouden lachje horen maar lachte toen voluit. Ze wees naar me en sloeg met haar andere hand op de tafel. 'Moet je toch eens zien, jochie, moet je toch eens zien!' Toen zag ook ik mijn zwarte gezicht in de spiegel boven de spoelbak en lachte mee.

'Zo kun je niet naar huis. Ik laat het bad vollopen en klop je spullen uit.' Ze liep naar de badkuip en draaide de kraan open. Het water bruiste dampend de kuip in. 'Trek je kleren voorzichtig uit, ik wil dat zwarte stof niet in m'n keuken.' Ik aarzelde, trok mijn trui en mijn hemd uit en aarzelde opnieuw. Het water steeg snel en de badkuip was bijna vol.

'Wil je met je schoenen en je broek aan in bad? Jochie, ik zal niet kijken.' Maar toen ik de kraan dicht had gedraaid en ook mijn onderbroek had uitgetrokken, nam ze me in alle rust op. Ik werd rood, stapte in het bad en dook onder water. Toen ik weer boven kwam, was ze op het balkon met mijn spullen bezig. Ik hoorde hoe ze mijn schoenen tegen elkaar sloeg en mijn broek en trui uitklopte. Ze riep iets naar beneden, over kolenstof en spaanders, van beneden riep iemand iets terug, en ze lachte. Terug in de keuken legde ze mijn spullen op de stoel. Ze wierp me alleen een snelle blik toe. 'Neem de shampoo en was ook je haar. Ik geef je zo een handdoek.' Ze pakte iets uit de klerenkast en liep de keuken uit.

Ik waste me. Het badwater was vuil, ik liet er vers

water bijlopen om onder de straal mijn hoofd en gezicht schoon te spoelen. Toen strekte ik me uit, hoorde de badkachel brommen, voelde in mijn gezicht de koele lucht die door de op een kier staande keukendeur kwam, en rond mijn lichaam het warme water. Ik voelde me behaaglijk. Het was een opwindend welbehagen en mijn geslacht werd stijf.

Ik keek niet op toen ze weer in de keuken kwam, pas toen ze voor het bad stond. Met uitgestrekte armen hield ze een grote handdoek op. 'Kom!' Ik keerde haar mijn rug toe toen ik overeind kwam en uit bad stapte. Ze hulde me van achteren in de doek, van top tot teen, en wreef me droog. Toen liet ze de handdoek op de grond vallen. Ik waagde het niet om me om te keren. Ze kwam zo dicht tegen me aan staan dat ik haar borsten tegen mijn rug en haar buik tegen mijn billen voelde. Ook zij was naakt. Ze sloeg haar armen om mij heen, haar ene hand op mijn borst en haar andere op mijn stijve geslacht.

'Daarom ben je toch hier!'

'Ik...' Ik wist niet wat ik moest zeggen. Geen ja, maar ook geen nee. Ik draaide me om. Ik zag niet veel van haar. We stonden te dicht bij elkaar. Maar ik was overweldigd door de aanwezigheid van haar naakte lichaam. 'Wat ben je mooi!'

'Ach, jochie toch, hou toch op.' Ze lachte en sloeg haar armen om mijn nek. Ook ik nam haar in mijn armen.

Ik was bang: voor het aanraken, voor het kussen, voor dat ik haar niet zou aanstaan en haar zou tegenvallen. Maar toen we elkaar een poosje hadden vastgehouden, ik haar geur had geroken en haar warmte en kracht gevoeld, ging alles als vanzelf. Het onderzoeken van haar lichaam met handen en mond, de ontmoeting van onze monden en ten slotte zij boven op mij, oog in oog, tot ik klaarkwam en mijn ogen dichtkneep en mij eerst probeerde te beheersen en toen zo hard schreeuwde dat ze de schreeuw met haar hand op mijn mond smoorde.

7

TIJDENS DE DAAROP volgende nacht ben ik verliefd op haar geworden. Ik sliep niet diep, verlangde naar haar, droomde van haar, meende haar te voelen tot ik merkte dat ik het kussen of de deken in mijn armen had. Mijn mond deed pijn van het kussen. Steeds opnieuw roerde mijn geslacht zich, maar ik wilde mij niet zelf bevredigen. Ik wilde mij nooit meer zelf bevredigen. Ik wilde met haar zijn.

Ben ik verliefd op haar geworden als prijs voor het feit dat ze met me heeft geslapen? Tot de dag van vandaag word ik na een nacht met een vrouw overmand door het gevoel dat ik door die vrouw ben verwend en dat ik het moet vergelden – dat ik het haar moet vergelden door in ieder geval te proberen van haar te houden, en ook dat ik me moet verantwoorden tegenover de wereld.

Een van mijn weinige levendige herinneringen aan mijn vroege kindertijd speelt zich af op een winterochtend toen ik vier was. De kamer waarin ik destijds sliep, was niet verwarmd, en 's nachts en 's ochtends was het er vaak erg koud. Ik herinner me de warme keuken en het hete fornuis, een zwaar, ijzeren gevaarte waarin je het vuur zag als je met een pook de platen en ringen van de kookgaten wegtrok, en waarin altijd een bak warm water klaarstond. Voor het fornuis had mijn moeder een stoel neergezet waarop ik stond terwijl ze me waste en aankleedde. Ik herinner me het behaaglijke gevoel van de warmte en het genot dat ik ervoer toen ik in die warmte gewassen en aangekleed werd. Ik herinner me ook dat ik me, altijd wanneer ik me deze situatie herinnerde, afvroeg waarom mijn moeder mij zo heeft verwend. Was ik ziek? Hadden haar andere kinderen iets gekregen wat ik niet had gekregen? Stonden me voor de rest van de dag onaangename, moeilijke dingen te wachten waarvoor ik beducht moest zijn?

Ook omdat de vrouw voor wie ik in gedachten geen naam had mij die middag zo had verwend, ging ik de volgende dag weer naar school. Daar kwam bij dat ik de mannelijkheid die ik had verworven, wilde etaleren. Niet dat ik had willen opscheppen. Maar ik voelde me krachtig en superieur en wilde mijn medeleerlingen en leraren met deze kracht en superioriteit tegemoet treden. Bovendien had ik er weliswaar niet met haar over gesproken, maar ik stelde me voor dat zij als tramconductrice vaak 's avonds en tot laat in de nacht moest doorwerken. Hoe zou ik haar elke dag kunnen zien als ik thuis moest blijven en alleen maar mijn geneeskrachtige wandelingen mocht maken?

Toen ik na mijn bezoek bij haar thuis kwam, zaten mijn ouders en broer en zussen al aan tafel. 'Waarom ben je zo laat? Je moeder maakte zich al zorgen om je.' Mijn vader klonk meer geïrriteerd dan bezorgd.

Ik zei dat ik was verdwaald; dat ik een wandeling over de Erebegraafplaats naar het Melkhuisje had willen maken, maar dat ik eerst helemaal nergens en ten slotte in Nussloch was uitgekomen. 'Ik had geen geld en moest van Nussloch naar huis lopen.'

'Je had kunnen liften.' Mijn jongste zusje liftte af en toe, wat mijn ouders niet goed vonden.

Mijn oudere broer snoof verachtelijk. 'Melkhuisje en Nussloch – dat zijn twee totaal verschillende richtingen.'

Mijn oudste zusje keek mij onderzoekend aan.

'Ik ga morgen weer naar school.'

'Let dan maar goed op bij aardrijkskunde. Je hebt het noorden en het zuiden en de zon komt...'

Mijn moeder onderbrak mijn broer. 'Nog drie weken, zei de dokter.'

'Als hij via de Erebegraafplaats naar Nussloch en weer terug kan lopen, kan hij ook naar school. Hij heeft geen gebrek aan energie, hij heeft niet genoeg hersenen.' Als kleine jongens hadden mijn broer en ik voortdurend gevochten, later elkaar verbaal om de oren geslagen. Hij was drie jaar ouder en mij op alle gebieden de baas. Op een bepaald moment ben ik ermee opgehouden me door hem te laten uitdagen en liet ik zijn strijdlustige aanvallen voor wat ze waren. Sindsdien beperkte hij zich tot vitten.

'Wat vind jij ervan?' Mijn moeder keerde zich tot mijn vader. Hij legde mes en vork op zijn bord, leunde achterover en vouwde zijn handen in zijn schoot. Hij zweeg en keek nadenkend zoals altijd wanneer mijn moeder hem aansprak over de kinderen of het huishouden. Zoals gewoonlijk vroeg ik me af of hij werkelijk over de vraag van mijn moeder nadacht of over zijn werk. Misschien probeerde hij ook over de vraag van mijn moeder na te denken, maar kon hij, eenmaal tot nadenken vervallen, niet anders dan over zijn werk denken. Hij was professor in de filosofie, en denken was zijn leven, denken en lezen en schrijven en doceren.

Soms had ik het gevoel dat wij, zijn gezin, huisdieren voor hem waren. De hond waarmee je gaat wandelen, de kat waarmee je speelt, ook de kat die zich op je schoot oprolt en zich spinnend laat aaien – dat kan je dierbaar zijn, je hebt er in zekere zin zelfs behoefte aan, en toch is het kopen van het voer, het schoonmaken van de kattenbak en het bezoek aan de dierenarts je eigenlijk al te veel. Want het leven is elders. Ik had graag gehad dat wij, zijn gezin, zijn leven waren geweest. Vaak had ik ook mijn vittende broer en mijn kleine brutale zusje liever anders gehad. Maar op die avond hield ik plotseling zielsveel van hen allemaal. Mijn kleine zusje. Waarschijnlijk was het niet gemakkelijk om de jongste van een gezin met vier kinderen te zijn en kon ze zich zonder een zekere brutaliteit niet handhaven. Mijn grote broer. We deelden samen een kamer, wat voor hem moeilijker was dan voor mij, en bovendien moest hij, sinds ik ziek was, de kamer helemaal aan mij afstaan en op de divan in de huiskamer slapen. Waarom zou hij niet vitten? Mijn vader. Waarom zouden wij kinderen zijn leven zijn? We groeiden op en waren over niet al te lange tijd groot en het huis uit.

Het kwam me voor alsof we voor de laatste keer samen om de ronde tafel onder de vijfarmige koperen luchter met de vijf kaarsen zaten, alsof we voor de laatste keer van de oude borden met de groene ranken op de rand aten, alsof we voor de laatste keer zo vertrouwelijk met elkaar spraken. Ik voelde me als bij een afscheid. Ik was er nog en toch al weg. Ik had heimwee naar moeder en vader en naar mijn broer en zusjes, en het verlangen om bij de vrouw te zijn.

Mijn vader keek mij aan. 'Ik ga morgen weer naar school – zo drukte je je uit, nietwaar?'

'Ja.' Het was hem dus opgevallen dat ik dat tegen hem en niet tegen moeder had gezegd, en ook niet had gezegd dat ik me afvroeg of ik weer naar school zou gaan.

Hij knikte. 'We moeten je maar naar school laten gaan. Als het je te veel wordt, blijf je gewoon weer thuis.'

Ik was blij. Tegelijkertijd had ik het gevoel dat het afscheid zich had voltrokken.

8

DE VOLGENDE DAGEN had de vrouw vroege dienst. Ze kwam om twaalf uur thuis en ik verzuimde dag in dag uit de laatste les om haar op de overloop voor haar woning op te wachten. We gingen onder de douche en vreeën met elkaar en kort voor halftwee kleedde ik me haastig aan en ging ervandoor. Om halftwee werd er gegeten. Op zondag was het middageten al om twaalf uur, maar dan begon en eindigde ook haar vroege dienst later.

Ik had het douchen liever gelaten. Zij was overdreven proper, had 's ochtends gedoucht, en ik hield van de geur van parfum, vers zweet en tram die ze meebracht van haar werk. Maar ik hield ook van haar natte, ingezeepte lichaam; ik liet me graag door haar inzepen en zeepte haar graag in, en ze leerde me om dat niet beschroomd te doen maar met een vanzelfsprekende, in bezit nemende grondigheid. Ook als we met elkaar vreeën, nam ze vanzelfsprekend bezit van mij. Haar mond nam de mijne, haar tong speelde met de mijne, ze zei me waar en hoe ik haar moest aanraken en als ze mij bereed tot ze klaarkwam, bestond ik voor haar alleen maar omdat ze zichzelf met mij, met gebruikmaking van mij, genot verschafte. Niet dat ze niet teder was en mij geen genot bezorgde. Maar ze deed het voor haar eigen speelse plezier, tot ik leerde ook van haar bezit te nemen.

Dat was later. Helemaal leerde ik het nooit. Lange tijd miste ik het ook niet. Ik was jong en ik kwam snel klaar en wanneer ik daarna langzaam weer tot leven kwam, liet ik haar graag bezit van mij nemen. Ik keek naar haar wanneer ze op mij zat, haar buik die boven haar navel een diepe plooi vertoonde, haar borsten, de rechter een heel klein beetje groter dan de linker, haar gezicht met de open mond. Ze steunde met haar handen op mijn borst en trok die op het laatste moment weg, hield haar hoofd vast en slaakte een toonloos snikkende, diep uit haar keel komende kreet waarvan ik de eerste keer schrok en waarop ik later begerig wachtte.

Daarna was ze uitgeput. Vaak sliep ze in terwijl ze nog op me lag. Ik hoorde de zaag op de binnenplaats en het luide geroep van de arbeiders die ermee aan het werk waren en erbovenuit schreeuwden. Als de zaag verstomde drong het verkeerslawaai van de Bahnhofstrasse zwak tot in de keuken door. Als ik kinderen hoorde roepen en spelen wist ik dat de school uit en er een uur voorbij was. De buurman, die tussen de middag thuiskwam, strooide vogelvoer op zijn balkon, en de duiven kwamen en koerden.

'Hoe heet je?' Ik vroeg het haar op de zesde of zevende dag. Ze was boven op me ingeslapen en werd net wakker. Ik had tot dusver het noemen van een naam, het u en het je vermeden.

Ze schoot overeind. 'Wat?'

'Hoe je heet!'

'Waarom wil je dat weten?' Ze keek me wantrouwig aan.

'Jij en ik... Ik ken je achternaam maar niet je voornaam. Ik wil je voornaam weten. Wat is daar...'

Ze lachte. 'Niets, jochie, niets is daar verkeerd aan. Ik

heet Hanna.' Ze ging door met lachen, kon er niet mee stoppen, stak mij aan.

'Je keek zo raar.'

'Ik sliep nog half. Hoe heet jij?'

Ik dacht dat ze het wist. Het was juist in de mode gekomen om je schoolspullen niet langer in een tas, maar onder je arm te dragen, en als ik die bij haar op de keukentafel legde, stond mijn naam bovenop, op de schriften en ook op de boeken die ik geleerd had met stevig papier te kaften en van een etiket te voorzien dat de titel van het boek en mijn naam droeg. Maar ze had er niet op gelet.

'Ik heet Michael Berg.'

'Michael, Michael, Michael.' Ze probeerde de naam uit. 'Mijn jochie heet Michael, is student...'

'Scholier.'

'...is scholier, is, nou, zeventien?'

Ik was trots op de twee jaar meer die ze me gaf en knikte.

'...is zeventien en wil, als hij groot is, een beroemde...' Ze aarzelde.

'Ik weet niet wat ik wil worden.'

'Maar je doet wel je best.'

'Ach.' Ik zei haar dat zij belangrijker voor me was dan leren en school. Dat ik graag vaker bij haar wilde zijn. 'Ik blijf toch zitten.'

'Waar blijf je zitten?' Ze kwam overeind. Het was het eerste echte gesprek dat we met elkaar voerden.

'In de vierde klas. Ik heb te veel verzuimd in de afgelopen maanden toen ik ziek was. Als ik wil overgaan zou ik als een gek moeten werken. Dan zou ik ook nu op school moeten zijn.' Ik vertelde haar over mijn gespijbel.

'Eruit.' Ze sloeg het dekbed terug. 'M'n bed uit. En je komt er niet meer in als je je werk niet doet. Je vindt je werk gek? Gek? Wat dacht je van kaartjes verkopen en knippen.' Ze stond op, stond naakt in de keuken en acteerde de conductrice. Ze opende met haar linkerhand het mapje met de kaartjesblokken, schoof er met de duim van diezelfde hand, waarop een rubberen vingerhoed zat, twee kaartjes af, zwaaide met haar rechterhand in het rond tot ze de greep van de aan haar pols bungelende tang te pakken kreeg, en knipte twee keer. 'Tweemaal Rohrbach.' Ze liet de tang los, stak haar hand uit, nam een geldbiljet aan, klapte voor haar buik de geldbuidel open, stopte het biljet erin, klapte de geldbuidel weer dicht en drukte het wisselgeld uit de aan de buitenkant bevestigde muntenhouders. 'Nog iemand zonder kaartje?' Ze keek me aan. 'Gek? Je weet niet wat gek is.'

Ik zat op de rand van het bed. Ik was als verdoofd. 'Het spijt me. Ik zal aan het werk gaan. Ik weet niet of het me lukt, over zes weken is het schooljaar voorbij. Ik zal het proberen. Maar het lukt me niet als ik jou niet meer mag zien. Ik...' Eerst wilde ik zeggen: Ik hou van je. Maar ik bedacht me. Misschien had ze gelijk, natuurlijk had ze gelijk. Maar ze had niet gelijk om van mij te eisen dat ik meer voor school zou doen en het daarvan te laten afhangen of we elkaar zouden zien. 'Ik kan je niet níet zien.'

De klok in de gang sloeg halftwee. 'Je moet gaan.' Ze aarzelde. 'Vanaf morgen heb ik reguliere dienst. Halfzes – dan kom ik thuis en kun je ook komen. Als je daarvóór werkt.'

We stonden naakt tegenover elkaar, maar in haar uniform zou ze me niet afwijzender zijn voorgekomen. Ik begreep de situatie niet. Was het haar om mij te doen? Of om zichzelf? Als mijn werk al gek was, dan was het hare pas echt gek – had dat haar gekrenkt? Maar ik had helemaal niet gezegd dat haar of mijn werk idioot is. Of wilde ze geen mislukkeling als minnaar? Maar was ik haar minnaar? Wat was ik voor haar? Ik kleedde me aan, nam de tijd en hoopte dat ze iets zou zeggen. Maar ze zei niets. Ten slotte was ik aangekleed en stond zij daar nog steeds naakt, en toen ik haar bij het afscheid omarmde, reageerde ze niet.

9

WAAROM WORD IK er zo treurig van als ik aan die tijd terugdenk? Is het het verlangen naar verloren gegaan geluk – en gelukkig was ik in de weken die volgden, waarin ik werkelijk als een idioot werkte en het voor elkaar speelde om over te gaan en we met elkaar de liefde bedreven alsof er op de wereld niets anders bestond. Is het de wetenschap van wat daarna kwam, en dat daarna alleen aan het licht kwam wat er altijd al was geweest?

Waarom? Waarom wordt datgene wat mooi was in onze ogen besmeurd doordat het, als we erop terugkijken, lelijke waarheden voor ons verborgen hield? Waarom wordt de herinnering aan gelukkige huwelijksjaren vergald wanneer blijkt dat de ander al die jaren een minnaar had? Omdat je in zo'n situatie niet gelukkig kunt zijn? Maar je wás gelukkig! Soms blijft de herinnering alleen al daarom niet trouw aan het geluk omdat het einde pijn deed. Omdat geluk alleen geldig is als het eeuwig standhoudt? Omdat alleen met pijn kan eindigen wat pijnlijk is geweest, onbewust en niet herkend? Maar wat is onbewuste en niet herkende pijn?

Ik denk terug aan die tijd en heb het beeld van mijzelf voor ogen. Ik droeg de chique pakken af die een rijke oom had nagelaten en die mij waren toegevallen, samen met verscheidene paren schoenen in twee kleuren, zwart en bruin, zwart en wit, wild- en juchtleer. Ik had te lange armen en te lange benen, niet voor de pakken die mijn moeder had uitgelegd, maar voor de coördinatie van mijn bewegingen. Mijn bril was een goedkoop ziekenfondsmodelletje en mijn haar, wat ik er ook aan deed, een wilde bos. Op school was ik niet goed en niet slecht; ik geloof dat veel leraren nooit echt notitie van mij hebben genomen, net zomin als de leerlingen die in de klas haantje de voorste waren. Ik was niet erg tevreden met mijn uiterlijk, hoe ik me kleedde en hoe ik bewoog, op wat ik presteerde en hoe serieus ik werd genomen. Maar hoeveel energie zat er niet in me, hoeveel vertrouwen dat ik op een dag mooi en intelligent, superieur en bewonderd zou zijn, hoeveel verwachtingen waarmee ik nieuwe mensen en situaties tegemoet trad.

Is dat het wat me treurig stemt? De voortvarendheid en het geloof waarvan ik destijds zo vervuld was en waarmee ik aan het leven een belofte ontlokte die het nooit ofte nimmer zou kunnen inlossen? Soms zie ik in de gezichten van kinderen en teenagers dezelfde voortvarendheid en hetzelfde geloof, en ik zie het aan met dezelfde treurigheid als waarmee ik aan mijzelf terugdenk. Is deze treurigheid de treurigheid zonder meer? Is het deze treurigheid die ons overvalt wanneer mooie herinneringen in duigen vallen als we eraan terugdenken, omdat het herinnerde geluk niet alleen uit de situatie bestond, maar uit een belofte die niet gestand werd gedaan?

Zij – het wordt tijd haar Hanna te gaan noemen, zoals ook ik in die tijd begon haar Hanna te noemen – zij leefde in ieder geval niet op grond van een belofte, maar enkel en alleen vanuit de situatie.

Ik stelde vragen naar haar verleden en het was alsof ze haar antwoorden te voorschijn groef uit een stoffige mottenkist. Ze was in Siebenbürgen opgegroeid, op haar zeventiende naar Berlijn gegaan, arbeidster bij Siemens geworden en op haar eenentwintigste bij de soldaten terechtgekomen. Sinds de oorlog voorbij was had ze met allerlei baantjes het hoofd boven water weten te houden. Wat ze plezierig vond aan haar beroep als tramconductrice, dat ze sinds een paar jaar uitoefende, was het uniform en de beweging, de afwisselende beelden en de beweging onder haar voeten. Verder vond ze er niets aan. Ze had geen familie. Ze was zesendertig. Dat vertelde ze allemaal alsof het niet haar leven was, maar het leven van iemand anders die ze niet goed kent en die haar niets aangaat. Wat ik preciezer wilde weten, wist ze zich vaak niet te herinneren en ze begreep ook niet waarom het mij interesseerde wat er met haar ouders was gebeurd, of ze broers en zussen had, hoe ze in Berlijn had geleefd en wat ze bij de soldaten had gedaan. 'Wat jij niet allemaal wilt weten, jochie!'

Hetzelfde gold voor de toekomst. Natuurlijk smeedde ik geen plannen voor een huwelijk en een gezin. Maar ik was meer betrokken bij de relatie van Julien Sorel met Madame de Rênal dan bij zijn relatie met Mathilde de la Mole. Ik zag Felix Krull aan het eind van de roman graag in de armen van de moeder in plaats van in die van de dochter. Mijn zus, die germanistiek studeerde, deed aan tafel verslag van de discussie over de vraag of de heer von Goethe en mevrouw von Stein een liefdesrelatie onderhielden, en ik verdedigde dat tot verbazing van de hele familie met verve. Ik stelde me voor hoe onze relatie er over vijf of tien jaar zou uitzien. Ik vroeg aan Hanna hoe zij zich dat voorstelde. Ze wilde niet eens tot Pasen denken, hoewel ik samen met haar in de vakantie een fietstocht wilde maken. We zouden als moeder en zoon samen een kamer kunnen nemen en de hele nacht bij elkaar blijven.

Vreemd dat ik dat idee en het voorstel daartoe niet gênant vond. Bij een reis met mijn moeder zou ik gevochten hebben voor een eigen kamer. Door mijn moeder vergezeld te worden bij een bezoek aan de dokter of bij het kopen van een nieuwe jas of afgehaald te worden van een reis, paste in mijn ogen niet bij mijn leeftijd. Als we samen iets ondernamen en we schoolvrienden tegenkwamen, was ik bang als een moederskindje beschouwd te worden. Maar mij met Hanna te vertonen die, hoewel tien jaar jonger dan mijn moeder, mijn moeder had kunnen zijn, kon me niets schelen. Het maakte me trots.

Als ik nu een vrouw van zesendertig zie, vind ik haar jong. Maar als ik nu een jongen van vijftien zie, zie ik een kind. Ik verbaas me erover hoeveel zekerheid Hanna me heeft gegeven. Mijn succes op school maakte de leraren attent op mij en bood mij de zekerheid van hun respect. De meisjes die ik ontmoette, merkten dat ik niet bang voor hen was en waardeerden dat. Ik zat goed in mijn lichaam.

De herinnering, die de eerste ontmoetingen met Hanna in het volle licht zet en precies registreert, laat de weken tussen ons gesprek en het einde van het schooljaar ineenvloeien. Eén reden daarvoor is de regelmaat waarmee we elkaar ontmoetten en waarmee die ontmoetingen verliepen. Een andere reden is dat ik voordien nog nooit zulke volle dagen had gehad, dat mijn leven nog nooit zo snel en intensief was verlopen. Als ik denk aan het werk dat ik in die weken verzette, lijkt het wel alsof ik aan mijn bureau ben gaan zitten en alsof ik daar ben blijven zitten tot ik alles had ingehaald wat ik tijdens de geelzucht had verzuimd, alle woordjes geleerd, alle teksten gelezen, alle wiskundige bewijzen geleverd en scheikundige reacties beschreven. Over de Republiek van Weimar en het Derde Rijk had ik al op mijn ziekbed gelezen. Ook onze ontmoetingen zijn in mijn herinnering één enkele lange ontmoeting. Sinds ons gesprek vonden die altijd 's middags plaats: als ze late dienst had van drie tot halfvijf, anders om halfzes. Om zeven uur werd er bij ons gegeten en Hanna drong erop aan dat ik op tijd thuis zou zijn. Maar na een poosje bleef het niet bij die anderhalf uur, en ik begon smoesjes te verzinnen en het avondeten te verzuimen.

Dat lag aan het voorlezen. Op de dag na ons gesprek wilde Hanna weten wat ik op school leerde. Ik vertelde over het epische werk van Homerus, de redevoeringen van Cicero en Hemingways verhaal over de oude man en zijn strijd met de vis en de zee. Ze wilde horen hoe Grieks en Latijn klinken en ik las haar voor uit de *Odyssee* en de redevoeringen tegen Catilina.

'Leer je ook Duits?'

'Hoe bedoel je?'

'Leer je alleen vreemde talen of valt er ook in je eigen taal nog iets te leren?'

'We lezen teksten.' Tijdens mijn ziekte had de klas *Emilia Galotti* en *Kabale und Liebe* gelezen, en binnenkort moesten we daarover een opstel schrijven. Dus moest ik beide toneelstukken lezen en ik deed dat als ik met alle andere dingen klaar was. Dan was het laat, en ik was moe, en wat ik las wist ik de volgende dag al niet meer en moest ik nog een keer lezen.

'Lees het me voor!'

'Lees het zelf maar, ik zal het voor je meebrengen.'

'Je hebt zo'n mooie stem, jochie, ik luister liever naar je dan dat ik zelf lees.'

'Ach, ik weet niet.'

Maar toen ik de volgende dag kwam en haar wilde kussen, trok ze zich van mij terug. 'Eerst moet je me voorlezen.'

Het was haar menens. Ik moest een half uur lang uit

Emilia Galotti voorlezen voordat ze me onder de douche en in bed nam. Nu was ook ik blij met het douchen. De lust waarmee ik was gekomen, was tijdens het voorlezen verdwenen. Een stuk op zo'n manier voorlezen dat de verschillende acteurs enigszins herkenbaar zijn en tot leven gebracht worden, vraagt enige concentratie. Onder de douche werd de lust weer gewekt. Voorlezen, douchen, vrijen en nog een beetje naast elkaar liggen – dat werd het ritueel van onze ontmoetingen.

Ze was een aandachtige toehoorster. Haar lachen, haar verachtende gesnuif en haar verontwaardigde of bemoedigende kreten lieten er geen twijfel over bestaan dat ze de handeling vol spanning volgde en dat ze zowel Emilia als Luise maar stomme trutten vond. Het ongeduld waarmee ze me soms vroeg om verder te lezen, kwam voort uit de hoop dat het eindelijk afgelopen zou zijn met alle dwaasheid. 'Dat is toch niet te geloven!' Soms had ik zelf de dringende behoefte om verder te lezen. Toen de dagen langer werden, ging ik langer door met lezen om in de schemering met haar in bed te liggen. Wanneer ze op mij was ingeslapen, op de binnenplaats de zaag was verstomd, de merel zong en er van de kleuren van de dingen in de keuken alleen nog lichtere en donkere nuances grijs restten, was ik volmaakt gelukkig.

10

OP DE EERSTE dag van de paasvakantie stond ik om vier uur op. Hanna had vroege dienst. Ze fietste om kwart over vier naar de tramremise en reed om halfvijf met de tram naar Schwetzingen. Op de heenweg, had ze me verteld, was de tram vaak leeg. Pas op de terugweg raakte die vol.

Ik stapte bij de tweede halte in. De tweede wagen was leeg, in de voorste stond Hanna bij de bestuurder. Ik aarzelde of ik in de voorste of in de achterste wagen zou gaan zitten en koos uiteindelijk voor de achterste. Die stelde privacy in het vooruitzicht, een omarming, een kus. Maar Hanna kwam niet. Ze moest hebben gezien dat ik bij de halte had staan wachten en was ingestapt. Daarom was de tram gestopt. Maar ze bleef bij de bestuurder staan, praatte met hem en maakte grapjes. Ik kon het zien.

Bij alle volgende haltes reed de tram door. Niemand stond te wachten. De straten waren leeg. De zon was nog niet op en onder de witte hemel lag alles bleek in het bleke licht: huizen, geparkeerde auto's, bomen met hun jonge groen en bloeiende heesters, de gashouder en in de verte de bergen. De tram reed langzaam; vermoedelijk was de dienstregeling afgestemd op de rij- en stoptijden en moesten de rijtijden tussen de haltes wor-

den gerekt omdat de stoptijden uitvielen. Ik was opgesloten in de langzaam rijdende tram. Eerst zat ik, toen
ging ik op het voorste balkon staan en probeerde Hanna
te fixeren; ze moest mijn ogen in haar rug voelen. Na
een poosje draaide ze zich om en schonk me een indrin-
gende blik. Toen praatte ze verder met de bestuurder.
De rit ging verder. Voorbij Eppelheim lagen de rails niet
in maar naast de weg, op een verhoogd talud. De tram
reed sneller, met het gelijkmatige geratel van een trein.
Ik wist dat het traject door nog meer dorpen leidde en
ten slotte in Schwetzingen uitkwam. Maar ik voelde me
buitengesloten, verstoten uit de normale wereld waarin
mensen wonen, werken en liefhebben. Alsof ik gedoemd
was tot een doelloze en eindeloze rit in een lege wagen.

Toen zag ik een halte, een wachthuisje midden in het
vrije veld. Ik trok aan het snoer waarmee de conducteur
het signaal geeft aan de bestuurder dat hij moet stoppen
of kan vertrekken. De tram stopte. Noch Hanna noch de
bestuurder had als reactie op het belsignaal naar mij gekeken. Toen ik uitstapte, had ik de indruk dat ze me
lachend nakeken. Maar ik wist het niet zeker. Toen trok
de tram weer op en ik keek hem na tot hij eerst in een
kom en daarna achter een heuvel verdween. Ik stond
tussen talud en straatweg, rondom velden, fruitbomen
en verder weg een tuindersbedrijf met kassen. De lucht
was fris, vol met het gekwetter van vogels. Boven de bergen kleurde de witte hemel roze.

De rit met de tram was als een nachtmerrie geweest.
Als ik niet zo'n scherpe herinnering had aan wat erop
volgde, zou ik werkelijk de neiging hebben om die rit
voor een nachtmerrie te houden. Op de halte staan, de
vogels horen en de zon zien opkomen leek op wakker
worden. Maar het wakker worden uit een nachtmerrie
hoeft je niet bepaald op te luchten. Het kan er ook voor
zorgen dat je je pas echt bewust wordt van wat voor ver-

schrikkelijks je hebt gedroomd, misschien zelfs op welke verschrikkelijke waarheid je in je droom bent gestuit. Ik begaf me op weg naar huis, tranen liepen over mijn wangen, en pas toen ik Eppelheim bereikte, kon ik stoppen met huilen.

Ik legde de hele weg naar huis te voet af. Een paar keer probeerde ik tevergeefs een lift te krijgen. Toen ik de helft van de weg erop had zitten, haalde de tram me in. Die zat vol. Hanna zag ik niet.

Ik zat om twaalf uur op de overloop voor haar woning op haar te wachten, treurig, angstig en boos.

'Zit je alweer te spijbelen?'

'Ik heb vakantie. Wat was er vanochtend?' Ze deed de deur open, ik liep achter haar aan de woning en de keuken in.

'Wat zou er geweest moeten zijn vanochtend?'

'Waarom deed je alsof je me niet kende? Ik wilde...'

'Ik deed alsof ik je niet kende?' Ze draaide zich om en keek me met een kille blik aan. 'Jij deed alsof je mij niet wilde kennen. Stapte in de achterste wagen terwijl je toch kon zien dat ik in de voorste was.'

'Waarom denk je dat ik op de eerste dag van mijn vakantie om halfvijf naar Schwetzingen ga? Toch alleen maar omdat ik jou wilde verrassen, omdat ik dacht dat je dat leuk zou vinden. Ik ben in de achterste wagen...'

'Ach wat zielig toch. Al om halfvijf opgestaan en dat ook nog in de vakantie.' Ik had haar nog nooit ironisch meegemaakt. Ze schudde haar hoofd. 'Weet ik veel waarom jij naar Schwetzingen gaat. Weet ik veel waarom jij doet alsof je me niet kent. Dat is jouw zaak, niet de mijne. Wil je nu zo vriendelijk zijn om te vertrekken?'

Ik kan niet beschrijven hoe razend ik was. 'Dat is niet eerlijk, Hanna. Jij wist, jij had kunnen weten dat ik alleen voor jou ben ingestapt. Hoe haal je het dan in je hoofd dat ik deed alsof ik je niet kende? Als ik je niet had willen kennen, was ik toch zeker niet ingestapt.'

'Ach hou toch op. Ik heb je al gezegd, wat jij doet is jouw zaak, niet de mijne.' Ze was zo gaan staan dat de keukentafel zich tussen ons in bevond, haar blik, haar stem en haar gebaren behandelden mij als indringer en verzochten me om weg te gaan.

Ik ging op de divan zitten. Ze had me slecht behandeld en ik had haar daarvoor ter verantwoording willen roepen. Maar daarvoor had ik niet de kans gekregen. In plaats daarvan had zij mij aangevallen. En ik begon me onzeker te voelen. Had ze misschien gelijk, niet objectief maar subjectief? Kon het zijn, was het niet vanzelfsprekend dat ze me verkeerd begreep? Had ik haar gekwetst, onbedoeld, tegen mijn bedoelingen in, maar hoe dan ook gekwetst?

'Het spijt me, Hanna. Het is helemaal fout gelopen. Ik heb je niet willen kwetsen, maar het schijnt...'

'Het schijnt? Je bedoelt dat het schijnt alsof je me hebt gekwetst? Jij kunt me niet eens kwetsen, jij niet. En kras je nu eindelijk eens op? Ik heb gewerkt, ik wil in bad, ik wil mijn rust.' Ze keek me vragend aan. Toen ik niet opstond, haalde ze haar schouders op, draaide zich om, liet water in het bad lopen en kleedde zich uit.

Nu stond ik op en ging weg. Ik dacht dat ik voor altijd vertrok. Maar een halfuur later stond ik weer voor haar deur. Ze liet me binnen en ik nam alle schuld op me. Ik had me onbesuisd, lomp, liefdeloos gedragen. Ik snapte dat ze gekwetst was. Ik snapte dat ze niet gekwetst was, omdat ik haar niet kón kwetsen. Ik snapte dat ik haar niet kón kwetsen, maar dat ze mijn gedrag eenvoudigweg niet hoefde te pikken. Uiteindelijk was ik blij toen ze toegaf dat ik haar had gekwetst. Ze was dus niet zo ongenaakbaar en onverschillig als ze had voorgewend.

'Vergeef je me?'

Ze knikte.

'Hou je van me?'

Ze knikte weer. 'Het bad is nog vol. Kom, ik doe je in bad.'

Later vroeg ik me af of ze het water in het bad had gelaten omdat ze wist dat ik terug zou komen. Of ze zich had uitgekleed omdat ze wist dat ik dat niet uit mijn hoofd kon zetten en ik daarom terug zou komen. Of ze alleen maar een machtsspelletje had willen winnen. Toen we na het vrijen naast elkaar lagen en ik vertelde waarom ik in de achterste en niet in de voorste wagen was gestapt, plaagde ze me. 'Zelfs in de tram wil je het met me doen? Jochie toch, jochie toch!' Het was alsof de aanleiding tot onze ruzie eigenlijk zonder betekenis was.

Maar de gevolgen ervan waren wel van betekenis. Ik had niet alleen deze ruzie verloren. Ik had na een korte strijd gecapituleerd, toen ze dreigde mij af te wijzen, zich aan mij te onttrekken. In de weken die kwamen heb ik zelfs geen korte strijd meer geleverd. Wanneer ze dreigde, capituleerde ik meteen en onvoorwaardelijk. Ik heb alle schuld op me genomen. Ik heb fouten toegegeven die ik niet had begaan, bedoelingen bekend die ik nooit had gekoesterd. Als ze kil en hard werd, bedelde ik dat ze me weer goedgezind zou worden, me zou vergeven, van me zou houden. Soms had ik het gevoel alsof ze zelf leed onder haar verkillen en verstarren. Alsof ze verlangde naar de warmte van mijn verontschuldigingen, bevestigingen en bezweringen. Soms dacht ik dat ze simpelweg over mij triomfeerde. Maar hoe je het ook wendde of keerde, ik had geen keus.

Ik kon er met haar niet over praten. Het praten over onze ruzies leidde alleen maar tot nieuwe ruzies. Eén of twee keer heb ik haar een lange brief geschreven. Maar ze reageerde niet, en toen ik haar ernaar vroeg, stelde ze de wedervraag: 'Begin je nu alweer?'

48

II

NIET DAT HANNA en ik na de eerste dag van de paasvakantie niet meer gelukkig zijn geweest. We zijn nooit
zo gelukkig geweest als in die weken in april. Hoe
krampachtig die eerste ruzie en onze ruzies in het algemeen ook waren – alles wat ons ritueel van voorlezen,
douchen, vrijen en naast elkaar liggen ons bracht, deed
ons goed. Bovendien had ze zich vastgepraat met haar
verwijt dat ik gedaan had alsof ik haar niet kende. Als ik
me met haar wilde vertonen kon ze er geen principiële
bezwaren tegen inbrengen. 'Dus je wilde toch niet met
mij samen worden gezien' – dat liet ze zich liever niet
zeggen. Zo trokken we er in de week na Pasen met de
fiets op uit, vier dagen Wimpfen, Amorbach en Milten-
berg.

Ik weet niet meer wat ik tegen mijn ouders heb gezegd. Dat ik die tocht met mijn vriend Matthias zou
maken? Met een groep? Dat ik bij een schoolvriendje
van vroeger ging logeren? Vermoedelijk was mijn moeder bezorgd, zoals altijd, en vond mijn vader, zoals altijd, dat ze zich geen zorgen hoefde te maken. Had ik
het niet voor elkaar gekregen om over te gaan terwijl
niemand dat van me had verwacht?

Tijdens mijn ziekte had ik mijn zakgeld niet uitgegeven. Maar dat zou niet voldoende zijn als ik ook voor

Hanna wilde betalen. Dus bood ik mijn postzegelverzameling te koop aan bij de postzegelhandel in de buurt van de Heilige Geestkerk. Het was de enige winkel die op zijn deur ook de aankoop van verzamelingen vermeldde. De verkoper bekeek mijn albums en bood me zestig mark. Ik wees hem op mijn pronkstuk, een ongekartelde Egyptische zegel met een piramide, die volgens de catalogus een waarde had van vierhonderd mark. Hij haalde zijn schouders op. Als ik zo gehecht was aan mijn verzameling, moest ik die misschien maar liever houden. Mocht ik haar eigenlijk wel verkopen? Wat vonden mijn ouders daarvan? Ik probeerde te onderhandelen. Als die zegel met de piramide dan toch niet veel waarde had, zou ik die gewoon houden. Maar dan, zei hij, kon hij me nog maar dertig mark bieden. Dus dan was de zegel met de piramide toch waardevol? Uiteindelijk kreeg ik zeventig mark. Ik voelde me opgelicht, maar het kon me niets schelen.

Niet alleen ik had reiskriebels. Tot mijn verbazing was ook Hanna al dagen voor de reis onrustig. Ze vroeg zich voortdurend af wat ze zou meenemen en pakte om en om de fietstassen en de rugzak in die ik haar had bezorgd. Toen ik haar op de kaart de route wilde aanwijzen die ik in gedachten had, wilde ze er niets over horen en niets zien. 'Daar ben ik nu te opgewonden voor. Dat doe je vast wel goed, jochie.'

Op tweede paasdag braken we op. De zon scheen en bleef vier dagen lang schijnen. 's Ochtends was het fris en overdag werd het warm, niet te warm om te fietsen, maar warm genoeg om te picknicken. De bossen waren tapijten van groen, met geelgroene, lichtgroene, flessengroene, blauw- en zwartgroene spatjes, vlekken en vlakken. In het Rijndal bloeiden de eerste vruchtbomen al. In het Odenwald stonden de forsythia's net in bloei.

Vaak konden we naast elkaar fietsen. Dan wezen we

elkaar aan wat we zagen: de burcht, de hengelaar, het schip op de rivier, de tent, het gezin in ganzenpas langs de rivier, de Amerikaanse slee met open kap. Als we een andere richting of weg namen, moest ik voor haar uit rijden; ze wilde zich niet bemoeien met richtingen en wegen. Verder reed zij, als er te veel verkeer was, soms achter mij, ik soms achter haar. Ze had een fiets met een jasbeschermer en een kettingkast en droeg een blauwe jurk waarvan de wijde rok opwaaide in de wind. Het duurde enige tijd voor ik niet meer bang was dat haar rok in de spaken of in het tandrad van de ketting zou blijven haken en haar ten val zou brengen. Daarna zag ik haar graag voor mij uit rijden.

Wat had ik me verheugd op de nachten. Ik had me voorgesteld dat we met elkaar zouden vrijen, inslapen, wakker worden en weer vrijen, weer inslapen, weer wakker worden enzovoort, elke nacht opnieuw. Maar alleen in de eerste nacht ben ik nog een keer wakker geworden. Ze lag met haar rug naar me toe, ik boog me over haar heen en kuste haar en ze draaide zich op haar rug, nam me in zich op en hield me in haar armen. 'Mijn jochie toch, mijn jochie.' Daarna sliep ik boven op haar in. De andere nachten sliepen we door, moe van het fietsen, van de zon en de wind. 's Ochtends vreeën we.

Hanna liet niet alleen de keus van de routes en de wegen aan mij over. Ik zocht de hotelletjes uit waar we overnachtten, noemde ons op het inschrijvingsformulier, dat zij alleen nog maar ondertekende, moeder en zoon en koos op de spijskaart niet alleen voor mij maar ook voor haar het eten uit. 'Ik vind het heerlijk om me eens nergens mee te hoeven bemoeien.'

De enige ruzie hadden we in Amorbach. Ik was vroeg wakker geworden, had me zachtjes aangekleed en was stilletjes de kamer uitgegaan. Ik wilde het ontbijt op bed brengen en wilde ook kijken of er al een bloemenzaak open was waar ik voor Hanna een roos kon krijgen. Ik had een briefje op haar nachtkastje gelegd. 'Goeiemorgen! Haal het ontbijt, ben zo weer terug' – of iets dergelijks. Toen ik weer terugkwam, stond ze midden in de kamer, half aangekleed, trillend van woede, haar gezicht wit.

'Hoe kun je zomaar weggaan.'

Ik zette het dienblad met het ontbijt en de roos neer en wilde haar in mijn armen nemen. 'Hanna...'

'Raak me niet aan.' Ze had de smalle leren riem in haar hand die ze om haar jurk droeg, deed een stap achteruit en sloeg ermee in mijn gezicht. Mijn lip sprong, ik proefde bloed. Het deed geen pijn. Ik was vreselijk geschrokken. Ze haalde opnieuw uit.

Maar ze sloeg niet nog een keer. Ze liet haar arm zinken en de riem vallen en huilde. Ik had haar nog nooit zien huilen. Haar gezicht raakte helemaal uit model. Wijdopen ogen, wijdopen mond, de oogleden na de eerste tranen opgezet, rode vlekken op haar wangen en in haar hals. Uit haar mond kwamen hese, grommende geluiden die leken op de toonloze schreeuw wanneer we de liefde bedreven. Ze stond tegenover me en keek me door haar tranen heen aan.

Ik had haar in mijn armen willen nemen. Maar ik kon het niet. Ik wist niet wat ik moest doen. Bij ons thuis werd er zo niet gehuild. Er werd niet geslagen, niet met de hand en al helemaal niet met een leren riem. Er werd gepraat. Maar wat moest ik zeggen?

Ze deed twee passen naar mij toe, wierp zich tegen mijn borst, sloeg met haar vuisten op mij in, klemde zich aan mij vast. Nu kon ik haar omarmen. Haar schouders schokten, ze bonsde met haar voorhoofd tegen mijn borst. Toen zuchtte ze diep en koesterde zich in mijn armen.

'Zullen we ontbijten?' Ze maakte zich van mij los. 'Lieve god, jochie, je ziet er niet uit!' Ze haalde een natte handdoek en maakte mijn mond en mijn kin schoon. 'En je overhemd zit onder het bloed.' Ze trok mijn overhemd uit, toen mijn broek en toen kleedde ze zichzelf uit en vreeën we.

'Wat was er toch? Waarom was je zo woedend?'

We lagen naast elkaar, zo bevredigd en tevreden dat ik dacht dat nu alles zou worden opgehelderd.

'Wat was er, wat was er – wat een stomme vragen stel jij altijd. Je kunt toch niet zomaar weggaan.'

'Maar ik heb toch een briefje...'

'Briefje?'

Ik ging overeind zitten. Op de plek waar ik het briefje op het nachtkastje had gelegd, lag het niet meer. Ik stond op, zocht naast en onder het nachtkastje, onder het bed, in het bed. Ik vond het niet. 'Daar begrijp ik niets van. Ik had een briefje voor je geschreven dat ik het ontbijt ging halen en zo terug zou zijn.'

'O ja? Ik zie geen briefje.'

'Geloof je me niet?'

'Ik geloof je maar al te graag. Maar ik zie geen briefje.'

We maakten er verder geen ruzie om. Was er een windstoot gekomen, had die het briefje meegenomen en ergens of nergens naartoe gewaaid? Was alles een misverstand geweest, haar woede, mijn gesprongen lip, haar ontredderde gezicht, mijn hulpeloosheid?

Had ik verder moeten zoeken, naar het briefje, naar de oorzaak van Hanna's woede, naar de oorzaak van mijn hulpeloosheid? 'Lees nog iets voor, jochie!' Ze vlijde zich tegen me aan en ik pakte de *Taugenichts* van Eichendorff en las verder vanaf het punt waar ik de laatste keer was gebleven. De *Taugenichts* was makkelijk voor te lezen, makkelijker dan *Emilia Galotti* en *Kabale und Liebe*. Hanna luisterde weer met gespannen aandacht. Ze hield van de gedichten die hier en daar door de tekst heen stonden. Ze hield van de verkleedpartijen, verwisselingen, verwikkelingen en achtervolgingen waarbij de held in Italië betrokken raakt. Tegelijkertijd nam ze hem kwalijk dat hij een nietsnut is, niets presteert, niets kan en ook niets wil kunnen. Ze werd heen en weer geslingerd en kon nog uren nadat ik het voorlezen had beëindigd met vragen komen. 'Tolgaarder – was dat geen goed beroep?'

Weer is het verslag van onze ruzie zo uitvoerig uitgevallen dat ik ook over ons geluk wil vertellen. De ruzie heeft onze verhouding tot elkaar inniger gemaakt. Ik had haar zien huilen, Hanna die ook kon huilen stond mij nader dan Hanna die alleen maar sterk was. Ze begon zich van een zachte kant te laten zien die ik nog niet kende. Ze heeft mijn gesprongen lip, tot die genezen was, telkens weer bekeken en zacht aangeraakt.

We beminden elkaar anders. Lange tijd had ik mij helemaal overgeleverd aan haar leiding, haar manier van bezit nemen. Vervolgens had ik geleerd om ook van haar bezit te nemen. Tijdens en na onze fietstocht hebben we niet langer alleen maar bezit van elkaar genomen.

Ik heb nog een gedicht dat ik destijds schreef. Als gedicht is het niets waard. Ik dweepte in die tijd met Rilke en Benn, en ik besef dat ik die alle twee tegelijk wilde nabootsen. Maar ik besef ook hoe na we elkaar stonden in die tijd. Hier is het gedicht:

Als we ons openstellen
jij je voor mij en ik voor jou mij,
als we verzinken
in mij jij en ik in jou,
als we vergaan
jij mij in en jou in ik.

Dan
ben ik ik
en ben jij jij.

12

TERWIJL IK ME niets herinner van de leugens die ik mijn ouders vertelde over de tocht met Hanna, herinner ik me wel welke prijs ik moest betalen om in de laatste week van de vakantie alleen thuis te kunnen blijven. Ik weet niet meer waarheen de reis van mijn ouders, mijn grote zus en mijn grote broer ging. Het probleem was het kleine zusje. Ze zou bij een vriendin gaan logeren. Maar als ik thuisbleef, wilde zij ook thuisblijven. Dat wilden mijn ouders niet. Dus moest ik ook bij een vriend gaan logeren.

Achteraf gezien vind ik het opmerkelijk dat mijn ouders bereid waren om mij met mijn vijftien jaar een week lang alleen thuis te laten. Hadden ze de zelfstandigheid opgemerkt die door mijn omgang met Hanna in mij was gegroeid? Of hadden ze eenvoudigweg geregistreerd dat ik ondanks mijn ziekte van maanden was overgegaan naar de volgende klas, en daaruit de conclusie getrokken dat ik meer verantwoordelijkheidsbesef bezat en betrouwbaarder was dan tot dan toe aan mij te merken was geweest? Ik herinner me ook niet dat ik wegens de vele uren die ik in die tijd bij Hanna doorbracht, ter verantwoording werd geroepen. Mijn ouders geloofden me kennelijk als ik zei dat ik, nu ik weer gezond was, veel met mijn vrienden samen wilde zijn, met hen samen wilde leren en vrije tijd doorbrengen. Bovendien zijn vier kinderen een hele horde, waarbij de aandacht van de ouders niet naar alle kinderen kan uitgaan, maar zich concentreert op het kind dat toevallig extra problemen bezorgde. Ik was lang genoeg een probleem geweest; mijn ouders waren opgelucht dat ik gezond was en overgegaan naar de volgende klas.

Toen ik mijn jongste zusje vroeg wat ze wilde hebben opdat zij naar haar vriendin zou gaan terwijl ik thuisbleef, vroeg ze om jeans, we zeiden in die tijd blue jeans of spijkerbroek, en een zogenaamde Nicki, een fluwelen trui. Daar kon ik inkomen. Jeans was toen nog iets bijzonders, iets chics en bovendien hield het een belofte in: de bevrijding van visgraatpakken en jurken met grote bloemmotieven. Zoals ik de spullen van mijn oom moest afdragen, moest mijn kleine zusje de spullen van haar grote zus afdragen. Maar ik had geen geld.

'Dan steel je ze maar!' Mijn zusje keek alsof er niets aan de hand was.

Het was verbluffend simpel. Ik paste verschillende jeans, nam ook een paar in haar maat mee naar het pashokje en vervoerde die onder de wijd vallende pantalon van mijn pak op mijn buik de winkel uit. De Nicki stal ik in de Kaufhof. De ene dag slenterden mijn zusje en ik op de afdeling mode van toonbank naar toonbank tot we de juiste toonbank en de juiste Nicki hadden gevonden. De volgende dag liep ik met snelle, doelgerichte passen door de afdeling, pakte de trui, verstopte hem onder mijn jasje en stond alweer buiten. De dag daarna stal ik voor Hanna een zijden nachtjapon, werd door de detective van het warenhuis gezien, rende voor mijn leven en ontsnapte op het nippertje. Ik heb jarenlang geen stap in de Kaufhof gezet.

Sinds de gezamenlijke nachten tijdens onze fietstocht verlangde ik er elke nacht naar om haar naast mij te voelen, dicht tegen haar aan te liggen, om mijn buik tegen haar billen en mijn borst tegen haar rug, mijn hand op haar borsten te leggen, om haar bij het wakker worden midden in de nacht met mijn arm te zoeken, te vinden, een been over haar benen te schuiven en mijn gezicht tegen haar schouder te leggen. Een week alleen thuis betekende zeven nachten met Hanna.

Op een avond heb ik haar uitgenodigd en voor haar gekookt. Ze stond in de keuken toen ik de laatste hand aan het eten legde. Ze stond tussen de openstaande vleugeldeur tussen eet- en woonkamer toen ik opdiende. Ze zat aan de ronde eettafel waar anders mijn vader zat. Ze keek om zich heen.

Haar blik tastte alles af, de Biedermeiermeubelen, de vleugel, de oude staande klok, de schilderijen, de kasten met de boeken, het servies en het bestek op tafel. Toen ik haar alleen had gelaten om het dessert klaar te maken, trof ik haar niet aan tafel toen ik terugkwam. Ze was van de ene kamer naar de andere kamer gelopen en stond in de studeerkamer van mijn vader. Ik leunde zachtjes tegen de deurpost en keek naar haar. Ze liet haar blik over de boekenkasten dwalen die de wanden bedekten, alsof ze een tekst las. Toen liep ze naar een kast, liet de wijsvinger van haar rechterhand op borsthoogte langzaam langs de ruggen van de boeken glijden, liep naar de kast ernaast, liet haar vinger verderglijden, de ene boekrug na de andere, en liep zo de hele kamer door. Bij het raam bleef ze staan, keek de duisternis in, naar de weerschijn van de boekenkasten en naar haar spiegelbeeld.

Het is een van de beelden van Hanna die me bijgebleven zijn. Ik heb die beelden in me opgeslagen, kan ze op een innerlijk doek projecteren en ze daar zien, onveranderd, onaangetast. Soms denk ik lange tijd niet aan ze. Maar altijd duiken ze weer op in mijn gedachten en dan kan het gebeuren dat ik ze een paar keer achter elkaar op het innerlijke doek moet projecteren en bekijken. Een van die beelden is Hanna die in de keuken haar kousen aantrekt. Een ander beeld is Hanna die voor het bad staat en met uitgestrekte armen de handdoek ophoudt. Nog een ander beeld is Hanna op de fiets en haar rok die door de wind opwaait. Dan het beeld van Hanna in de studeerkamer van mijn vader. Ze heeft een blauwwit gestreepte jurk aan, in die tijd noemden ze zoiets een chemisier. Daarin ziet ze er jong uit. Ze heeft haar vinger langs de boekruggen laten glijden en heeft uit het raam gekeken. Nu draait ze zich naar mij om, snel genoeg om haar rok voor een kort moment rond haar benen te laten zwaaien voordat die weer glad neerhangt. Haar ogen staan moe.

'Zijn dat boeken die je vader alleen gelezen heeft of heeft hij ze ook geschreven?'

Ik wist van een boek over Kant en een boek over Hegel van mijn vader, zocht en vond ze allebei en liet ze haar zien.

'Lees me er stukje uit voor. Wil je dat niet, jochie?'

'Ik...' Ik had geen zin, maar had ook geen zin om niet aan haar wens tegemoet te komen. Ik nam het boek dat mijn vader over Kant had geschreven en las haar daaruit voor, een passage over analyse en dialectiek die zij net zomin begreep als ik. 'Genoeg zo?'

Ze keek me aan alsof ze alles wel had begrepen of alsof het er niet op aankwam wat je begrijpt en wat niet. 'Ga jij op een dag ook zulke boeken schrijven?'

Ik schudde mijn hoofd.

'Ga je andere boeken schrijven?'

'Weet ik niet.'

'Ga je toneelstukken schrijven?'

'Weet ik niet, Hanna.'

Ze knikte. Daarna aten we ons dessert en gingen we

naar haar huis. Ik had graag met haar in mijn bed geslapen, maar ze wilde niet. Ze voelde zich bij mij thuis een
indringster. Ze zei het niet met zoveel woorden, maar
ze zei het door de manier waarop ze in de keuken of tussen de vleugeldeuren stond, van kamer naar kamer liep,
de boeken van mijn vader inspecteerde en met mij aan
tafel zat.

Ik gaf haar het zijden nachthemd. Het was aubergine
van kleur, had dunne schouderbandjes, liet schouders
en armen vrij en reikte tot aan haar enkels. Het was
glanzend en doorschijnend. Hanna was blij, lachte en
straalde. Ze keek langs haar lichaam naar beneden,
draaide in het rond, maakte een paar danspassen, zag
zichzelf in de spiegel, bekeek eventjes haar spiegelbeeld
en danste verder. Ook dat is een beeld dat me van Hanna is bijgebleven.

13

IK HEB HET begin van een schooljaar altijd een mijlpaal gevonden. De overgang van de derde naar de vierde klas bracht een bijzonder ingrijpende verandering. Mijn klas viel uiteen en werd over drie parallelklassen verdeeld. Tamelijk veel leerlingen hadden de drempel naar de vierde klas niet weten te nemen, en dus werden er vier kleine klassen tot drie grote samengevoegd.

Het gymnasium dat ik bezocht, had lange tijd alleen jongens aangenomen. Toen er ook meisjes werden aangenomen, waren daar in het begin zo weinig van dat ze niet gelijkmatig over de parallelklassen werden verdeeld, maar eerst alleen aan één klas, later ook aan twee en drie klassen werden toegewezen, net zolang tot ze steeds een derde van de hele klas vormden. Zoveel meisjes dat er ook aan mijn oude klas een paar zouden worden toegewezen, waren er niet in mijn lichting. We waren de vierde parallelklas, een pure jongensklas. Daarom werden wij uit elkaar gehaald en verdeeld, en niet een van de andere klassen.

We hoorden dat alles pas aan het begin van het nieuwe schooljaar. De rector liet ons in een lokaal bijeenkomen en zette uiteen dat en hoe we waren verdeeld. Samen met zes medeleerlingen liep ik door de lege gangen naar het nieuwe klaslokaal. We kregen de plaatsen die waren overgebleven, ik kreeg er een in de tweede rij. Het waren eenpersoons tafeltjes, maar in drie rijen stonden er steeds twee naast elkaar. Ik zat in de middelste rij. Links van me zat een leerling uit mijn oude klas, Rudolf Bargen, een zwaar gebouwde, kalme, betrouwbare schaker en hockeyer, met wie ik in de oude klas nauwelijks iets te maken had gehad, maar die algauw een goede vriend werd. Rechts van mij zaten aan de andere kant van het pad de meisjes.

Mijn buurvrouw was Sophie. Bruinharig, bruinogig, zomers gebruind, met gouden haartjes op haar blote armen. Toen ik plaats had genomen en opzij keek, glimlachte ze tegen me.

Ik glimlachte terug. Ik voelde me goed, verheugde me op het nieuwe begin in de nieuwe klas en op de meisjes. Ik had mijn medeleerlingen in de derde bestudeerd: die waren, of er nu meisjes in hun klas zaten of niet, bang voor ze, gingen ze uit de weg en negeerden ze of koesterden kalverliefdes voor ze. Ik kende de vrouwen en kon ontspannen en kameraadschappelijk zijn. Daar waren de meisjes op gesteld. Ik zou het in de nieuwe klas goed met ze kunnen vinden en daardoor ook geaccepteerd worden door de jongens.

Gaat het met iedereen zo? Ik voelde me toen ik jong was altijd ofwel te zeker óf te onzeker. Ik voelde me ofwel totaal ongeschikt, onaantrekkelijk en onwaardig, óf ik vond dat ik al met al best geslaagd was en dat ik ook in alles wel zou slagen. Als ik me zeker voelde, wist ik de grootst mogelijke problemen de baas te worden. Maar er hoefde maar iets mis te gaan of ik was ervan overtuigd dat ik nergens voor deugde. Het hervinden van mijn gevoel van zekerheid was nooit het resultaat van een succes; bij wat ik werkelijk van mijzelf eiste en wat ik door anderen graag gewaardeerd wilde zien, stak elk succes magertjes af, en of ik dat nu zo voelde of dat mijn succes me toch trots maakte, hing af van hoe het met me ging. Met Hanna erbij ging het vele weken lang heel goed met me – ondanks onze meningsverschillen en hoewel ze me steeds weer afwees en ik mij steeds weer vernederde. En dus begon ook de zomer in de nieuwe klas goed.

Ik zie het klaslokaal voor me: vooraan rechts de deur, langs de muur rechts de houten plank met de kleerhaken, links de rij ramen en daardoorheen het uitzicht op de Heiligenberg en, als we in de pauzes voor de ramen stonden, op de straat beneden, de rivier en de weides op de andere oever, vooraan het bord, de standaard voor landkaarten en platen, en de lessenaar en stoel voor de leraren op een podium van een voet hoog. De muren waren tot ooghoogte in een gele oliekleur, daarboven wit geverfd, en aan het plafond hingen twee bolvormige lampen van melkglas. Het lokaal bevatte niets overbodigs, geen planten, geen platen, geen stoel die niet gebruikt werd, geen kast met vergeten boeken en schriften of kleurkrijt. Als je je blik liet ronddwalen, dwaalde die het raam uit of stiekem naar je buurvrouw of buurman. Als Sophie merkte dat ik naar haar keek, draaide ze zich in mijn richting en schonk me een glimlach.

'Berg, dat Sophia een Griekse naam is, is nog geen reden om tijdens de Griekse les je buurvrouw te bestuderen. Vertaal de volgende regel!'

We vertaalden de *Odyssee*. Ik had die in het Duits gelezen, hield ervan en houd ervan tot op de dag van vandaag. Als ik een beurt kreeg, had ik maar een paar seconden nodig om te weten waar we waren en te kunnen vertalen. Toen de leraar me geplaagd had met Sophie en de klas was uitgelachen, stotterde ik om een andere reden. Nausicaä, in gestalte en uiterlijk lijkend op de onsterfelijken, maagdelijk en met witte armen – moest ik me daarbij Hanna of Sophie voorstellen? Een van hen beiden moest het zijn.

14

WANNEER BIJ VLIEGTUIGEN de motoren uitvallen, is dat niet het einde van de vlucht. Vliegtuigen vallen niet als stenen uit de hemel. Ze glijden verder, de reusachtige veelmotorige passagiersvliegtuigen wel twee tot drie kwartier lang, om dan bij de landingspoging te pletter te slaan. De passagiers merken niets. Vliegen voelt bij uitgevallen motoren niet anders aan dan bij draaiende motoren. Het is stiller, maar slechts een klein beetje stiller: luider dan de motoren is de wind die tegen romp en vleugels breekt. Op een bepaald moment zijn voor wie uit het raam kijkt de aarde of de zee beangstigend dichtbij. Of de film wordt vertoond en de stewardessen en stewards hebben de zonweringen gesloten. Misschien ervaren de passagiers de iets tragere vlucht wel als bijzonder aangenaam.

De zomer was de glijvlucht van onze liefde. Of beter van mijn liefde voor Hanna; over haar liefde voor mij weet ik niets.

We hebben aan ons ritueel van voorlezen, douchen, vrijen en bij elkaar liggen vastgehouden. Ik heb *Oorlog en vrede* voorgelezen, met alle uitweidingen van Tolstoi over geschiedenis, grote mannen, Rusland, liefde en huwelijk, het moet een uur of veertig, vijftig zijn geweest. Weer volgde Hanna de ontwikkelingen in het boek met gespannen aandacht. Maar het was anders dan voorheen; ze was terughoudend in haar oordeel, maakte Natascha, Andrej en Pierre niet deelgenoot van haar wereld zoals ze met Luise en Emilia had gedaan; ze betrad hun wereld, zoals je verbaasd een verre reis maakt of een kasteel binnengaat waar je toegang hebt verkregen, waar je mag verblijven, waarmee je vertrouwd wordt, zonder evenwel de schroom ooit helemaal te verliezen. Wat ik haar tot dusver had voorgelezen, kende ik zelf van tevoren al. *Oorlog en vrede* was ook voor mij nieuw. We maakten die verre reis gezamenlijk.

We bedachten troetelnaampjes voor elkaar. Ze ging me niet langer alleen maar jochie noemen, maar ook, met verschillende bijvoeglijke naamwoorden en verkleinwoordjes, kikvors of paddenbeest, welp, kiezelsteen of roos. Ik hield het bij Hanna, totdat ze me vroeg: 'Aan wat voor dier denk je als je me in je armen neemt, je ogen dichtdoet en aan dieren denkt?' Ik deed mijn ogen dicht en dacht aan dieren. We lagen dicht tegen elkaar aan, mijn hoofd tegen haar hals, mijn hals tegen haar borsten, mijn rechterarm onder haar door op haar rug en mijn linker op haar billen. Ik streelde met armen en handen over haar brede rug, haar harde dijen, haar stevige billen en voelde ook haar borsten en haar buik stevig tegen mijn hals en borst. Glad en zacht voelde haar huid aan en haar lichaam daaronder krachtig en betrouwbaar. Toen mijn hand op haar kuit lag, voelde die het voortdurende trekken en spelen van de spieren. Het deed me denken aan het trekken van de huid waarmee paarden vliegen proberen te verjagen. 'Aan een paard.'

'Een paard?' Ze maakte zich los uit mijn omarming, ging overeind zitten en keek me aan. Keek me ontzet aan.

'Vind je dat niet leuk? Ik kom erop omdat je zo lekker

aanvoelt, glad en zacht en daaronder stevig en sterk. En omdat het trekt in je kuit.' Ik legde haar mijn associatie uit.

Ze keek naar het spel van de spieren in haar kuit. 'Paard,' ze schudde haar hoofd, 'ik weet niet...'

Dat was niet haar gebruikelijke manier van doen. Anders was ze altijd heel beslist, ze was het ergens óf mee eens óf duidelijk mee oneens. Ik was onder haar ontzette blik bereid geweest om, als het niet anders kon, alles terug te nemen, mijzelf te beschuldigen en haar om vergiffenis te vragen. Maar nu probeerde ik haar te verzoenen met het paard. 'Ik zou cheval tegen je kunnen zeggen of hortsikje of equusje of honkeldebonkeltje. Ik denk bij paard niet aan paardengebit of paardenschedel, of wat dan ook wat jou niet bevalt, maar aan iets fijns, warms, zachts, sterks. Jij bent geen konijntje of poesje, en een tijgerin... daar zit iets in, iets slechts, wat je ook niet bent.'

Ze ging op haar rug liggen, haar armen achter haar hoofd. Nu ging ik overeind zitten en keek haar aan. Haar blik stond op oneindig. Na een poosje draaide ze haar gezicht naar mij toe. Het had een merkwaardig innige uitdrukking. 'Jawel, het bevalt me als je paard tegen me zegt of die andere paardennamen – leg je me uit wat die betekenen?'

Op een keer zijn we samen in de naburige stad naar de schouwburg geweest en hebben we *Kabale und Liebe* gezien. Het was voor Hanna de eerste keer dat ze een theater bezocht en ze vond alles prachtig, van de opvoering tot de champagne in de pauze. Ik legde mijn arm om haar middel en het liet me koud wat de mensen wel van ons als paar dachten. Ik was er trots op dat het me koud liet. Tegelijkertijd besefte ik dat het me in de schouwburg van mijn woonplaats niet koud zou hebben gelaten. Besefte zij dat ook?

Ze wist dat mijn leven in de zomer niet meer alleen uit haar, de school en het leren bestond. Steeds vaker kwam ik, wanneer ik laat in de middag bij haar arriveerde, uit het zwembad. Daar ontmoetten de schoolvriendinnen en -vrienden elkaar, maakten samen huiswerk, voetbalden en volleybalden en klaverjasten en flirtten. Daar speelde zich het sociale leven van de klas af en het betekende veel voor me om erbij te zijn en erbij te horen. Dat ik, afhankelijk van Hanna's werktijden, later dan de anderen kwam of vroeger wegging, deed geen afbreuk aan het aanzien dat ik genoot, maar maakte me interessant. Ik wist dat. Ik wist ook dat ik er niets door miste, maar had toch vaak het gevoel dat er juist als ik er niet bij was de meest fantastische dingen gebeurden. Of ik liever in het zwembad was dan bij Hanna, die vraag heb ik mijzelf lange tijd niet durven stellen. Maar op mijn verjaardag in juni werd er in het zwembad door mijn vrienden een feestje gevierd en ze lieten me slechts met tegenzin gaan, waarna ik door een uitgeputte Hanna, die een slecht humeur had, werd ontvangen. Ze wist niet dat het mijn verjaardag was. Toen ik naar de hare had gevraagd en ze me de 21ste oktober had genoemd, had ze niet naar de mijne gevraagd. Ze was ook niet slechter gehumeurd dan anders wanneer ze uitgeput was. Maar ik ergerde me aan haar slechte bui en wilde weg, naar het zwembad, naar de vriendinnen en vrienden uit mijn klas, naar de lichtheid van onze gesprekken, grapjes, ons spel en geflirt. Toen ook ik slecht gehumeurd reageerde, we ruzie kregen en Hanna deed alsof ik lucht was, overviel me weer de angst haar te verliezen, en ik ging door het stof en bood mijn excuses aan tot ze me bij zich nam. Maar innerlijk kookte ik van woede.

15

TOEN BEN IK begonnen haar te verraden.

Niet dat ik geheimen heb prijsgegeven of Hanna voor gek heb gezet. Ik heb niets geopenbaard wat ik had moeten verzwijgen. Ik heb verzwegen wat ik had moeten openbaren. Ik heb verzuimd me voor haar uit te spreken. Ik weet het, verloochening is een onopvallende variant van verraad. Aan de buitenkant is niet te zien of iemand verloochent of dat hij alleen discreet en behoedzaam is, pijnlijke en onaangename situaties vermijdt. Maar hij die niet voor zijn overtuiging uitkomt, weet het precies. En de verloochening haalt net zo goed de bodem onder een relatie vandaan als de spectaculaire variaties van verraad.

Ik weet niet meer wanneer ik Hanna voor het eerst heb verloochend. Uit de kameraadschap van de zomerse middagen in het zwembad ontwikkelden zich vriendschappen. Behalve mijn directe buren in de schoolbanken, die ik uit de oude klas kende, vond ik in de nieuwe klas vooral Holger Schlüter aardig, die net als ik geïnteresseerd was in geschiedenis en literatuur en met wie ik algauw op vertrouwelijke voet stond. Vertrouwelijk ging ik ook algauw om met Sophie, die een paar straten verderop woonde en met wie ik daarom samen naar het zwembad ging. In het begin zei ik tegen mijzelf dat de vertrouwelijkheid met mijn vrienden nog niet groot genoeg was om over Hanna te vertellen. Toen vond ik niet de passende gelegenheid, het geschikte uur, de juiste bewoordingen. Uiteindelijk was het te laat om over Hanna te vertellen, om haar samen met de andere jeugdige geheimen te presenteren. Als ik zo laat nog met haar op de proppen kwam, zo zei ik tegen mezelf, dan zou het de verkeerde indruk wekken dat ik Hanna al die tijd had verzwegen omdat onze relatie niet in orde was en ik een slecht geweten had. Maar wat ik mijzelf ook wijs maakte – ik wist dat ik Hanna verried wanneer ik deed alsof ik mijn vrienden deelgenoot maakte van wat belangrijk was in mijn leven, en over Hanna zweeg.

Dat ze merkten dat ik niet helemaal oprecht was, maakte het er niet beter op. Op een avond kwamen Sophie en ik op weg naar huis in een onweersbui terecht en schuilden we onder de luifel van een tuinhuisje in het Neuenheimer Feld, waar toen nog niet de gebouwen van de universiteit maar velden en tuinen lagen. Het bliksemde en donderde, stormde en regende met grote, zware druppels. Tegelijkertijd daalde de temperatuur wel met een graad of vijf. We hadden het koud en ik legde een arm om haar heen.

'Zeg.' Ze keek me niet aan maar staarde naar de regen.

'Ja?'

'Je bent toch een hele tijd ziek geweest, geelzucht. Is dat het waar je nog last van hebt? Ben je bang dat je niet meer helemaal beter wordt? Hebben de doktoren iets gezegd? En moet je elke dag naar het ziekenhuis om bloed te verversen of een infuus te krijgen?'

Hanna als ziekte. Ik schaamde me. Maar over Hanna praten kon ik toen al helemaal niet. 'Nee, Sophie. Ik ben niet meer ziek. Mijn lever functioneert normaal en over een jaar zou ik zelfs weer alcohol mogen gebruiken, als ik zou willen, maar dat wil ik niet. Waarvan ik...' Ik wilde, omdat het om Hanna ging, niet zeggen: waarvan ik last heb. 'Waarom ik later kom en vroeger wegga, is iets anders.'

'Heb je geen zin om erover te praten of heb je daar wel zin in maar weet je niet hoe?'

Had ik er geen zin in of wist ik niet hoe? Ik kon het zelf niet zeggen. Maar zoals we daar stonden, onder de bliksem, de luid en dichtbij knetterende donder en de roffelende regen, samen in de kou, elkaar een beetje warmte gevend, had ik het gevoel dat ik haar, juist haar over Hanna zou moeten vertellen. 'Misschien kan ik er een andere keer over praten.'

Maar het kwam er nooit van.

16

IK BEN ER nooit achter gekomen wat Hanna deed wanneer ze niet werkte en we evenmin samen waren. Als ik haar ernaar vroeg, weigerde ze antwoord te geven op mijn vraag. We hadden geen gemeenschappelijk sociaal leven, maar ze gaf mij in haar leven de plaats die ze me wilde geven. Daarmee had ik genoegen te nemen. Als ik meer wilde hebben of alleen maar meer wilde weten, was dat een aanmatiging. Waren we bijzonder gelukkig samen en stelde ik een vraag vanuit het gevoel dat nu alles mogelijk en toegestaan was, dan kon het gebeuren dat ze mijn vraag uit de weg ging in plaats van te weigeren er antwoord op te geven. 'Wat jij niet allemaal wilt weten, jochie!' Of ze pakte mijn hand en legde die op haar blote huid. 'Je vraagt me het hemd van het lijf, jochie!' Of ze zei een aftelversje aan haar vingers op. 'Ik moet wassen, ik moet strijken, ik moet vegen, ik moet dweilen, ik moet kopen, ik moet koken, ik moet pruimen schudden, rapen, naar huis meenemen en snel inmaken, anders eet het kleine ding,' ze nam haar pink in haar linker hand tussen duim en wijsvinger, 'anders eet die ze helemaal alleen op.'

Ik ben haar nooit toevallig tegengekomen, op straat of in een winkel of in de bioscoop, waar ze, naar eigen zeggen, graag en vaak naartoe ging en waar ik in de eerste maanden steeds weer samen met haar naartoe wilde gaan, maar zij wilde niet. Soms spraken we over films die we alle twee hadden gezien. Ze ging op een merkwaardig willekeurige manier naar de film en zag alles, van Duitse oorlogs- en Heimatfilms tot westerns en nouvelle vague, en ik hield van alles wat uit Hollywood kwam, onverschillig of het in het oude Rome of in het wilde Westen speelde. Van één bepaalde western hielden we allebei in het bijzonder; Richard Widmark speelt een sheriff die de volgende morgen een duel moet doorstaan dat hij alleen maar kan verliezen en die 's avonds bij Dorothy Malone op de deur klopt, die hem tevergeefs heeft aangeraden te vluchten. Ze doet open. 'Wat wil je nou? Je hele leven in een enkele nacht?' Hanna plaagde me soms als ik bij haar kwam en vol verlangen was. 'Wat wil je nou? Je hele leven in een enkel uur?'

Ik heb Hanna slechts één keer gezien zonder dat we een afspraak hadden. Het was eind juli of begin augustus, de laatste dagen voor de grote vakantie.

Hanna was dagenlang in een merkwaardige stemming geweest, humeurig en bars, en tegelijkertijd leed ze merkbaar onder een tergende druk die haar lichtgeraakt en kwetsbaar maakte. Ze hield zichzelf in de hand, beheerste zich, alsof ze moest verhinderen onder de druk te bezwijken. Op mijn vraag wat haar dwars zat, reageerde ze wrevelig. Ik wist niet goed hoe ik ermee om moest gaan. Ik was me in ieder geval niet alleen bewust van haar afwijzing, maar ook van haar hulpeloosheid en probeerde om er voor haar te zijn én haar met rust te laten. Op een dag was de druk weg. Eerst dacht ik dat Hanna weer de oude was. We waren na het einde van *Oorlog en vrede* niet meteen met een nieuw boek begonnen, ik had beloofd met iets te komen en had verschillende boeken bij me om te kiezen.

Maar ze wilde niet. 'Laat me je in bad doen, jochie.'

Het was niet de broeierige hitte van de zomer die zich, toen ik in de keuken kwam, als een zware doek over me uitspreidde. Hanna had de badkachel aangemaakt. Ze liet het bad vollopen met water, deed er een paar druppels lavendel in en waste me. De bleekblauwe, gebloemde jasschort, waaronder ze niets aanhad, plakte in de hete, vochtige lucht tegen haar zwetende lichaam. Ze wond me erg op. Toen we met elkaar vreeën, had ik het gevoel dat ze me tot gevoelens wilde opzwepen die alles wat ik tot dusver had gevoeld overtroffen, tot een punt waarop ik het niet meer kon uithouden. Ook de manier waarop zij zich gaf was uitzonderlijk. Niet zonder enige reserve; haar reserve heeft ze nooit prijsgegeven. Maar het was alsof ze samen met mij wilde verdrinken.

'Zo, en nu naar je vrienden.' Ze liet me gaan en ik fietste naar het zwembad. De hitte stond tussen de huizen, lag over de velden en tuinen en trilde boven het asfalt. Ik was verdoofd. In het zwembad drong het geschreeuw van de spelende en met water spetterende kinderen tot mij door alsof het van heel ver weg kwam. Het was alsof ik door een wereld liep die helemaal niet bij mij hoorde en waar ik niet bij hoorde. Ik dook in het melkachtige chloorwater en had er geen behoefte aan om weer boven te komen. Ik lag bij de anderen, luisterde naar hen en vond alles wat ze te zeggen hadden belachelijk en onzinnig.

Op een zeker moment was mijn stemming vervlogen. Op een zeker moment werd het een normale middag in het zwembad met huiswerk en volleybal en gebabbel en geflirt. Ik herinner me niet meer waar ik op dat moment mee bezig was, toen ik opkeek en haar zag.

Ze stond twintig tot dertig meter van mij af, in shorts en een open, in haar middel samengeknoopte bloes, en keek naar mij. Ik keek terug. Ik kon door de afstand de uitdrukking op haar gezicht niet lezen. Ik ben niet opgesprongen en naar haar toe gerend. Het ging door mijn hoofd waarom ze in het zwembad was, of ze door mij en met mij gezien wilde worden, of ik met haar gezien wilde worden, dat we elkaar nog nooit toevallig waren tegengekomen, wat ik moest doen. Toen stond ik op. In het korte ogenblik dat ik daarbij mijn blik van haar afwendde, is ze verdwenen.

Hanna in shorts en samengeknoopte bloes, haar gezicht, dat ik niet kan lezen naar mij toegekeerd – ook dat is een beeld dat ik van haar heb.

17

DE VOLGENDE DAG was ze weg. Ik kwam op het gebruikelijke uur en belde aan. Ik zag door de deur dat alles eruitzag als anders, ik hoorde de klok tikken.

Weer ging ik boven aan de trap zitten. In de eerste maanden had ik steeds geweten op welke tramlijn ze dienstdeed, ook al reed ik nooit meer met haar mee en haalde ik haar nooit meer af. Vanaf een bepaald moment had ik er niet meer naar gevraagd, me er niet meer voor geïnteresseerd. Het viel me nu pas op.

Vanuit de telefooncel op de Wilhelmsplatz belde ik de trammaatschappij op, werd een paar keer doorverbonden en kreeg te horen dat Hanna Schmitz niet op haar werk was verschenen. Ik ging terug naar de Bahnhofstrasse, vroeg in de meubelmakerij op de binnenplaats naar de eigenaar van het huis en kreeg een naam en een adres op in Kirchheim. Ik fietste er heen.

'Mevrouw Schmitz? Die is vanochtend verhuisd.'

'En haar meubels?'

'Dat zijn niet haar eigen meubels.'

'Sinds wanneer woonde ze op dat adres?'

'Wat gaat u dat aan?' De vrouw, die door het raampje in de deur met mij had gesproken, deed het raampje dicht.

In het hoofdkantoor van de trammaatschappij wist ik

door te dringen tot de afdeling personeelszaken. De dienstdoende medewerker was vriendelijk en bezorgd.

'Ze heeft vanochtend gebeld, vroeg genoeg voor ons om nog voor een vervanger te kunnen zorgen, en gezegd dat ze niet meer komt. Helemaal niet meer.' Hij schudde zijn hoofd. 'Veertien dagen geleden zat ze hier, waar u nu zit, en bood ik haar aan dat we haar zouden opleiden tot bestuurder, en nu geeft ze er de brui aan.'

Pas dagen later kwam ik op het idee om naar de burgerlijke stand te gaan. Ze had zich afgemeld en was naar Hamburg verhuisd, zonder een adres op te geven.

Dagenlang voelde ik me beroerd. Ik zorgde ervoor dat mijn ouders en broer en zusters niets merkten. Aan tafel praatte ik een beetje mee, at een beetje mee en als ik moest overgeven, wist ik net op tijd de wc te bereiken. Ik ging naar school en naar het zwembad. Daar bracht ik de middagen door op een afgelegen plek, waar niemand me zocht. Mijn lichaam verlangde naar Hanna. Maar erger dan het lichamelijke verlangen was het gevoel van schuld. Waarom was ik, toen ze daar stond, niet meteen opgesprongen en naar haar toe gegaan! In die ene kleine situatie concentreerde zich voor mij de halfslachtigheid van waaruit ik haar de laatste maanden had verloochend, verraden. Als straf daarvoor was ze weggegaan.

Soms probeerde ik mijzelf wijs te maken dat zij niet degene was die ik had gezien. Hoe kon ik er zeker van zijn dat zij het was terwijl ik toch haar gezicht niet goed had herkend? Had ik, als zij het was geweest, haar gezicht niet moeten herkennen? Kon ik er dus niet zeker van zijn dat zij het niet geweest kon zijn?

Maar ik wist dat zij het was geweest. Ze stond en keek – en het was te laat.

DEEL TWEE

I

NADAT HANNA DE stad had verlaten, duurde het een hele
tijd tot ik ermee ophield haar overal te zoeken, tot ik
eraan gewend was dat de namiddagen hun vorm hadden verloren en tot ik boeken bekeek en opensloeg zonder me af te vragen of ze geschikt waren om voor te
lezen. Het duurde een hele tijd tot mijn lichaam niet
meer naar het hare verlangde, soms merkte ik zelf hoe
mijn armen en benen in mijn slaap naar haar tastten,
en verschillende keren gaf mijn broer aan tafel ten beste
dat ik in mijn slaap 'Hanna' had geroepen. Ik herinner
me ook lessen tijdens welke ik alleen van haar droomde,
alleen aan haar dacht. Het gevoel van schuld, waaronder
ik de eerste weken leed, verdween langzamerhand. Ik
meed haar huis, nam een andere weg, en na een halfjaar
verhuisde ons gezin naar een ander stadsdeel. Niet dat
ik Hanna vergeten was. Maar op een bepaald moment
hield de herinnering aan haar op mij te begeleiden. De
herinnering bleef achter zoals een stad achterblijft als
de trein verder rijdt. Ze is er, ergens achter je, je zou er-
naartoe kunnen gaan en je van haar bestaan vergewis-
sen. Maar waarom zou je.

Ik herinner mij de laatste jaren op school en de eerste op de universiteit als gelukkige jaren. Tegelijkertijd
kan ik er maar weinig over vertellen. Ze verliepen moei-

teloos; met het eindexamen en de met weinig overtuiging gekozen rechtenstudie had ik geen moeite, met vriendschappen, liefdesrelaties en de afloop daarvan had ik geen moeite, met niets had ik moeite. Alles viel me gemakkelijk, alles ging me gemakkelijk af. Misschien is het pakketje herinneringen daarom zo klein. Of houd ik het klein? Ik vraag me ook af of die gelukkige herinnering eigenlijk wel klopt. Als ik langer terugdenk, schieten me genoeg beschamende en pijnlijke situaties te binnen en weet ik dat ik de herinnering aan Hanna weliswaar achter me had gelaten, maar niet had verwerkt. Na Hanna me nooit weer te laten vernederen en zelf niet meer te vernederen, me nooit meer schuldig te maken en me schuldig te voelen, nooit meer zoveel van iemand te houden dat het pijn doet om diegene te verliezen – ik heb dat destijds niet in alle duidelijkheid gedacht, maar wel heel uitdrukkelijk gevoeld.

Ik mat mijzelf een aanmatigend, superieur gedrag aan, ik deed mijzelf voor als iemand die door niets wordt geraakt, geschokt, verward. Ik liet me nergens mee in, en ik herinner me een docent die dat doorzag, mij erop aansprak en die ik arrogant afpoeierde. Ook Sophie herinner ik me. Kort nadat Hanna de stad had verlaten, werd bij Sophie tuberculose geconstateerd. Ze verbleef drie jaar in een sanatorium en kwam terug toen ik net student was geworden. Ze voelde zich eenzaam, zocht contact met oude vrienden, en het kostte me weinig moeite door te dringen tot haar hart. Nadat we met elkaar hadden geslapen, merkte ze dat het me niet werkelijk om haar te doen was en zei met tranen in haar ogen: 'Wat is er met je gebeurd, wat is er met je gebeurd.' Ik herinner me mijn grootvader, die me bij een van mijn laatste bezoeken voor zijn dood wilde zegenen en aan wie ik duidelijk maakte dat ik daar niet aan geloofde en er geen prijs op stelde. Dat ik me ondanks dat soort gedragingen destijds goed heb gevoeld, kan ik me moeilijk voorstellen. Ik herinner me ook dat ik bij het zien van kleine uitingen van liefdevolle zorg en aandacht een brok in mijn keel voelde, ongeacht of die uitingen mij golden of iemand anders. Soms was een scène in een film al voldoende. Dat naast-elkaar-bestaan van grove onverschilligheid en sentimentaliteit vond ik zelf verdacht.

2

IK ZAG HANNA terug in de rechtszaal.

Het was niet het eerste proces over de concentratiekampen en zeker niet een van de grootste. Mijn professor, een van de weinigen die destijds onderzoek deden naar het nazi-verleden en naar de processen die in verband daarmee werden gevoerd, had dit proces tot onderwerp van een werkcollege gemaakt, omdat hij hoopte het met hulp van zijn studenten in zijn geheel te kunnen volgen en voor zijn onderzoek te kunnen benutten. Ik weet niet meer wat hij wilde uitzoeken, bevestigen of weerleggen. Ik herinner me dat er tijdens het college werd gediscussieerd over het legaliteitsbeginsel. Is het voldoende dat de strafbepaling op grond waarvan de kampbewakers en de kampbeulen worden veroordeeld, al ten tijde van hun daden in het wetboek van strafrecht was opgenomen, óf komt het erop aan hoe de strafbepaling ten tijde van hun daden werd geïnterpreteerd en toegepast en dat die strafbepaling destijds nu eenmaal geen betrekking had op dergelijke daden? Wat is het recht? Wat in het wetboek staat of wat in de samenleving feitelijk als recht wordt uitgeoefend en getoetst? Of is recht datgene wat, of het nu in het wetboek staat of niet, uitgeoefend en getoetst zou moeten worden wanneer alles ging zoals het zou moeten gaan? De professor, een oude heer die uit zijn gedwongen emigratie was teruggekeerd maar in de Duitse rechtswetenschap een buitenstaander was gebleven, nam aan deze discussies deel met al zijn geleerdheid en tegelijkertijd met de distantie van iemand die voor de oplossing van een probleem niet meer op geleerdheid vertrouwt. 'Let maar eens op de verdachten – u zult er niet één vinden die er werkelijk van overtuigd is dat hij destijds mocht moorden.'

Het college begon in de winter, het proces in het voorjaar. Het nam vele weken in beslag. De zittingen vonden plaats van maandag tot en met donderdag en voor elk van die vier dagen had de professor een groep studenten geformeerd die een woordelijk verslag maakten. Op vrijdag vond het werkcollege plaats en werden de gebeurtenissen van de afgelopen week diepgaand besproken.

Verwerking! Verwerking van het verleden! Wij studenten, leden van de werkgroep, beschouwden onszelf als de avant-garde van de verwerking van het verleden. Wij zetten de ramen open, lieten frisse lucht naar binnen, de wind die eindelijk het stof deed opwaaien dat de samenleving op de verschrikkingen van het verleden had doen neerdalen. Wij zorgden ervoor dat de mensen konden ademen en zien. Ook wij hadden geen vertrouwen in juridische geleerdheid. Dat er moest worden veroordeeld, stond voor ons vast. Net zo goed als het voor ons vaststond dat het alleen oppervlakkig gezien ging om de veroordeling van deze of gene concentratiekampbewaker of -beul. De generatie die zich van de bewakers en beulen had bediend, of hen niet had tegengehouden, of hen niet ten minste had verstoten toen ze hen na 1945 had kunnen verstoten, stond terecht, en in een procédé van verwerking en voorlichting veroordeelden we ze tot schaamte.

Onze ouders hadden in het Derde Rijk heel verschillende rollen gespeeld. Heel wat vaders hadden meegedaan aan de oorlog, onder wie twee of drie officieren van de Wehrmacht en één officier van de Waffen-ss, enkelen hadden carrière gemaakt bij de rechterlijke macht of de overheid, we hadden leraren en artsen onder onze ouders, en een van ons had een oom die een hoge ambtenaar was geweest bij de rijksminister van Binnenlandse Zaken. Ik ben er zeker van dat ze, voor zover we onze vaders ernaar vroegen en zij ons antwoord gaven, heel verschillende dingen hadden mee te delen. Mijn vader wilde niet over zichzelf praten. Maar ik wist dat hij zijn aanstelling als docent in de filosofie wegens de aankondiging van een college over Spinoza was kwijtgeraakt en zichzelf en ons tijdens de oorlog in leven had weten te houden als redacteur van een uitgeverij van wandelkaarten en boeken over trektochten. Hoe kwam ik erbij om hem te veroordelen tot schaamte? Maar ik deed het wel. Wij veroordeelden allemaal onze ouders tot schaamte, al was het maar omdat we hen ervan konden beschuldigen dat ze de daders na 1945 in hun omgeving, in hun midden hadden getolereerd.

Wij studenten van het werkcollege ontwikkelden een sterke groepsidentiteit. Wij van werkgroep kz – eerst noemden de andere studenten ons zo en algauw ook wijzelf. Wat we deden, interesseerde de anderen niet; het bevreemdde velen, stootte menigeen min of meer tegen de borst. Ik denk nu dat de bezetenheid waarmee we kennis namen van de verschrikkingen en die kennis aan anderen wilden doorgeven, inderdaad stuitend was. Hoe vreselijker de gebeurtenissen waren waarover we lazen en hoorden, des te zekerder werden we over onze voorlichtende en beschuldigende taak. Ook als de gebeurtenissen ons de adem benamen – we liepen er triomfantelijk mee rond. Kijk ons eens!

Ik had me uit pure nieuwsgierigheid ingeschreven voor de werkgroep. Het was weer eens iets anders dan koop en daderschap en deelneming, dan middeleeuws Duits recht en rechtsfilosofische antiquiteiten. De aanmatigende, arrogante houding die ik mij had eigen gemaakt, nam ik ook mee naar het werkcollege. Maar in de loop van de winter kon ik mij steeds minder onttrekken aan de gebeurtenissen waarover we lazen en hoorden en aan de geestdrift waarmee de studenten van de werkgroep te werk gingen. Eerst maakte ik mijzelf wijs dat ik alleen de wetenschappelijke, of ook de politieke en morele geestdrift wilde delen. Maar ik wilde meer, ik wilde deelhebben aan de gemeenschappelijke geestdrift. De anderen zullen me desondanks wel afstandelijk en arrogant hebben gevonden. Ikzelf had tijdens die wintermaanden het prettige gevoel erbij te horen en met mijzelf en met wat ik deed en met degenen met wie ik het deed, in het reine te zijn.

3

HET PROCES VOND plaats in een andere stad, met de auto in iets minder dan een uur te bereiken. Ik had daar verder nooit iets te zoeken gehad. Een andere student reed. Hij was daar opgegroeid en kende de weg.

Het was donderdag. Het proces was op maandag begonnen. De eerste drie zittingsdagen waren besteed aan het behandelen van de door de verdedigers voorgedragen wraking. Wij waren de vierde groep, en met het persoonlijke verhoor van de verdachten zouden wij het eigenlijke begin van het proces meemaken.

Onder bloeiende fruitbomen reden we over de heuvelachtige weg. We waren in een verheven, gevleugelde stemming; eindelijk konden we in praktijk brengen waarop we ons hadden voorbereid. We beschouwden onszelf niet als simpele toeschouwers, toehoorders en notulisten. Toekijken, luisteren en notuleren was onze bijdrage aan de verwerking.

Het gerechtsgebouw was van rond de eeuwwisseling, maar zonder de overdadige opsmuk en de somberte die de gerechtsgebouwen uit die tijd vaak vertonen. De zaal waarin de juryrechtbank bijeenkwam, had aan de linkerkant een rij grote ramen met melkglas, die je uitzicht ontnamen, maar wel veel licht doorlieten. Voor de ramen zaten de openbare aanklagers, op heldere voorjaars- en zomerdagen alleen als contouren zichtbaar. Het rechterlijk college, drie rechters in zwarte toga's en zes juryleden, zat aan de voorzijde van de zaal, en rechts was de bank met verdachten en verdedigers, wegens hun grote aantal met tafels en stoelen verlengd tot voor de publiekstribune in het midden van de zaal. Enkele verdachten en verdedigers zaten met hun rug naar ons toe. Hanna zat met haar rug naar ons toe. Ik herkende haar pas toen ze werd opgeroepen, opstond en naar voren liep. Natuurlijk herkende ik meteen haar naam: Hanna Schmitz. Daarna herkende ik ook haar gestalte, haar hoofd vreemd met het in een knot samengebonden haar, haar nek, de brede rug en de stevige armen. Ze hield haar rug recht. Ze stond stevig op haar twee benen. Ze liet haar armen losjes neerhangen. Ze droeg een grijze jurk met korte mouwen. Ik herkende haar, maar ik voelde niets. Ik voelde niets.

Ja, ze wilde staan. Ja, ze was op 21 oktober 1922 in de buurt van Hermannstadt geboren en nu drieënveertig jaar oud. Ja, ze had in Berlijn bij Siemens gewerkt en was herfst 1943 bij de ss gegaan.

'U bent vrijwillig bij de ss gegaan?'

'Ja.'

'Waarom?'

Hanna antwoordde niet.

'Klopt het dat u bij de ss bent gegaan, hoewel ze u bij Siemens een baan als cheffin hadden aangeboden?'

Hanna's verdediger sprong op. 'Wat wil dat zeggen: "hoewel"? Wat wilt u met de insinuatie dat een vrouw beter cheffin bij Siemens kan worden dan bij de ss gaan? Niets rechtvaardigt dat de beslissing van mijn cliënte in twijfel getrokken wordt.'

Hij ging zitten. Hij was de enige jonge verdediger, de anderen waren oud, enkelen, zoals spoedig bleek, oud-nazi's. Hanna's verdediger vermeed hun jargon en formuleringen. Maar hij legde een jachtige ijver aan de dag waarmee hij zijn cliënte evenveel schaadde als de nationaal-socialistische tirades van zijn confrères hun cliënten schaadden. Hij bereikte wel dat de voorzitter geïrriteerd keek en de vraag waarom Hanna bij de ss was gegaan liet liggen. Maar de indruk bleef bestaan dat zij het weloverwogen had gedaan en zonder er door de omstandigheden toe te zijn gedwongen. Dat een van de rechters aan Hanna vroeg wat voor werk ze bij de ss had verwacht te moeten doen, en dat Hanna verklaarde dat de ss bij Siemens, maar ook bij andere bedrijven, vrouwen had geworven die ingezet werden bij de bewakingsdienst en dat zij zich daarvoor had aangemeld en ook daarvoor in dienst was genomen, veranderde niets meer aan de negatieve indruk.

De voorzitter liet Hanna met een enkel woord bevestigen dat ze tot het voorjaar van 1944 in Auschwitz en tot de winter van 1944-'45 in een klein kamp bij Krakow dienst had gedaan, dat ze met de gevangenen naar het westen was vertrokken en daar ook was aangekomen, dat ze aan het eind van de oorlog in Kassel was geweest en sindsdien op verschillende plaatsen had gewoond. Acht jaar had ze in mijn geboortestad gewoond; het was de langste tijd die ze op een en dezelfde plek had doorgebracht.

'Is de frequente verandering van woonplaats een bevestiging van het vluchtgevaar?' De advocaat reageerde onverbloemd ironisch. 'Mijn cliënte heeft zich bij elke verandering van woonplaats volgens de voorschriften af- en aangemeld. Niets wijst erop dat ze zou kunnen vluchten, er is niets wat ze zou kunnen verhullen. Had het de rechter die met het gerechtelijk vooronderzoek was belast, wellicht niet opportuun geleken om mijn cliënte in vrijheid te stellen met het oog op het gewicht van de ten laste gelegde daad en met het oog op het gevaar van maatschappelijke onrust? Dat, edelachtbaren, is een door de nazi's gehanteerde grond tot voorlopige hechtenis; die is door de nazi's ingevoerd en na de nazi's weer afgeschaft. Die bestaat niet meer.' De advocaat sprak met het boosaardige behagen waarmee iemand een pikante waarheid naar voren brengt.

Ik schrok. Ik merkte dat ik Hanna's hechtenis als vanzelfsprekend en juist had beschouwd. Niet vanwege de aanklacht, de ernst van het tenlastegelegde en de sterkte van de verdenking, waarvan ik nog niets precies wist, maar omdat ze in de cel weg was uit mijn wereld, weg uit mijn leven. Ik wilde haar ver weg van me hebben, zo onbereikbaar dat ze slechts de herinnering zou blijven die ze de afgelopen jaren voor mij was geworden en gebleven. Als de advocaat succes had, zou ik me er rekenschap van moeten geven dat ik haar kon tegenkomen, en ik zou mijzelf duidelijkheid moeten verschaffen over hoe ik haar zou willen of moeten bejegenen. En ik zag niet in waarom hij geen succes zou hebben. Wanneer Hanna tot dusver niet had proberen te vluchten, waarom zou ze het dan nu proberen? En wat zou ze al kunnen verhullen? Andere redenen tot inhechtenisneming waren er destijds niet.

De voorzitter maakte weer een geïrriteerde indruk, en ik begon te beseffen dat dat een trucje van hem was. Steeds wanneer hij een uitspraak hinderlijk of storend vond, zette hij zijn bril af, tastte de spreker af met een bijziende, onzekere blik, fronste zijn voorhoofd en liet wat er gezegd was passeren, of hij begon met 'U bedoelt dus' of 'U wilt daarmee zeggen', en herhaalde de uitspraak op een manier die er geen twijfel over liet bestaan dat hij niet van zins was zich ermee bezig te houden en dat het geen zin had te proberen druk op hem uit te oefenen.

'U bedoelt dus dat bij het vooronderzoek de rechter

een verkeerde interpretatie heeft gegeven aan het feit dat de verdachte op geen enkel schrijven en geen enkele oproep heeft gereageerd, dat zij niet bij de politie, niet bij de openbare aanklager en niet bij de rechter is verschenen? U wilt een verzoek indienen tot opheffing van de voorlopige hechtenis?'

De advocaat diende het verzoek in en het gerecht wees het verzoek af.

4

IK HEB GEEN dag van het proces overgeslagen. De andere studenten verbaasden zich. De professor was er blij mee dat een van ons ervoor zorgde dat de volgende groep te weten kwam wat de laatste groep had gehoord en gezien.

Slechts één keer keek Hanna naar het publiek en naar mij. Verder richtte ze haar ogen gedurende al die dagen op de rechtbank, als ze door een gerechtsdienares werd binnengeleid en wanneer ze haar plaats had ingenomen. Dat maakte een hoogmoedige indruk, en een hoogmoedige indruk maakte het ook dat ze niet met de andere verdachten en nauwelijks met haar advocaat sprak. De andere verdachten spraken naarmate het proces vorderde wel steeds minder met elkaar. Ze stonden tijdens de schorsingen bij hun familieleden en vrienden, zwaaiden en riepen hen iets toe wanneer ze hen 's ochtends tussen het publiek zagen. Hanna bleef tijdens de schorsingen op haar plaats zitten.

Zo zag ik haar van achteren. Ik zag haar hoofd, haar nek, haar schouders. Ik las haar hoofd, haar nek, haar schouders. Als er over haar werd gesproken, hield ze haar hoofd extra opgericht. Wanneer ze zich onrechtvaardig behandeld, beschuldigd, aangevallen voelde en zich probeerde te verweren, rolde ze haar schouders naar voren, haar nek zwol op en ze liet de afzonderlijke nekspieren sterker naar buiten en naar voren komen. Haar verweer mislukte regelmatig, en regelmatig liet ze haar schouders hangen. Ze haalde haar schouders nooit op, schudde ook nooit haar hoofd. Ze was te gespannen om zich de lichtheid van het schouderophalen of hoofdschudden te permitteren. Ze permitteerde zich ook niet om haar hoofd scheef te houden, te buigen of te ondersteunen. Ze zat als bevroren. Zo te zitten moet pijn doen.

Soms ontsnapten er pieken haar aan haar strakke knot, vormden een krul, hingen neer in haar nek of streken er overheen in de tocht. Soms droeg Hanna een jurk die diep genoeg was uitgesneden om de moedervlek boven op haar linkerschouder te laten zien. Dan herinnerde ik me hoe ik de haren uit die nek blies en hoe ik die moedervlek en die nek had gekust. Maar het herinneren was een registreren. Ik voelde niets.

Tijdens het wekenlange proces voelde ik niets, was mijn gevoel als verdoofd. Ik provoceerde het af en toe, stelde me Hanna voor bij de dingen die haar verweten werden, stelde me haar zo duidelijk voor als ik maar kon, en ook bij datgene waaraan het haar in haar nek en de moedervlek op haar schouder mij herinnerden. Het was alsof een hand in een arm knijpt die door een injectie is verdoofd. De arm weet niet dat hij door de hand wordt geknepen, de hand weet dat hij de arm knijpt, en de hersenen kunnen de twee even niet uit elkaar houden. Maar even later weten ze het verschil weer heel precies. Misschien heeft de hand wel zo hard geknepen dat de plek een hele poos wit blijft. Dan keert het bloed terug en de plek krijgt weer kleur. Maar het gevoel keert daarom nog niet terug.

Wie had me die injectie gegeven? Ik mijzelf, omdat ik het zonder verdoving niet zou hebben uitgehouden? De verdoving werkte niet alleen in de rechtszaal en niet alleen zodanig dat ik Hanna kon beleven alsof het iemand anders was die van haar had gehouden en haar had begeerd, iemand die ik goed kende, maar die niet ik was. Ik stond ook bij alle andere dingen naast mijzelf en keek op mijzelf toe, zag mijzelf functioneren op de universiteit, met mijn ouders en broer en zussen, met vrienden, maar was er innerlijk niet bij betrokken.

Na een poosje meende ik een vergelijkbare verdoving ook bij anderen te kunnen waarnemen. Niet bij de advocaten, die tijdens de hele rechtszaak allemaal dezelfde luidruchtigheid, gelijkhebberige agressiviteit, pedante haarkloverij en lawaaierige gevoelloze schaamteloosheid tentoonspreidden, al naar gelang hun persoonlijke en politieke temperament. Weliswaar putte het proces ze uit; 's avonds waren ze vermoeider en ook scherper van toon. Maar 's nachts hadden ze zichzelf weer opgeladen of opgepompt en de volgende ochtend dramden en sisten ze weer als de ochtend daarvoor. De openbare aanklagers probeerden niet voor ze onder te doen en eveneens dag in dag uit dezelfde strijdlustige inzet aan de dag te leggen. Maar het lukte hun niet, aanvankelijk niet omdat de feiten en de resultaten van het proces hen al te zeer ontzetten, later omdat de verdoving begon te werken. Het sterkst werkte die bij de rechters en de juryleden. In de eerste weken van het proces namen ze soms onder tranen, soms met een brekende stem, soms jachtig of verward kennis van de verschrikkelijke dingen die werden meegedeeld of bevestigd, zichtbaar ontdaan of ook met moeizaam gehandhaafde zelfbeheersing. Later werden de gezichten weer normaal, konden ze elkaar glimlachend een opmerking toefluisteren of ook een zweem ongeduld tonen wanneer een getuige van de hak op de tak sprong. Toen er tijdens het proces een reis naar Israël ter sprake kwam, waar een getuige moest worden verhoord, ontstond er reislust. Telkens weer ontzet waren de andere studenten. Ze kwamen slechts één keer per week naar de rechtbank, en elke keer voltrok het zich opnieuw: de verschrikking die inbreuk maakte op het alledaagse leven. Ik, die elke dag het proces bijwoonde, observeerde hun reactie van op een afstand.

Net als een gevangene in een concentratiekamp, die maand in maand uit weet te overleven en eraan gewend is geraakt en de ontzetting van de nieuwkomers onaangedaan registreert. Met dezelfde verdoving registreert waarmee hij het moorden en sterven zelf waarneemt. Alle boeken van overlevenden maken gewag van deze verdoving, onder invloed waarvan de functies van het leven gereduceerd werden, de gedragingen afstandelijk en meedogenloos, en het vergassen en verbranden tot de dagelijkse gang van zaken gingen behoren. Ook in de spaarzame uitingen van de daders zijn de gaskamers en verbrandingsovens dagelijkse kost, de daders zelf gereduceerd tot slechts enkele functies, in al hun meedogenloosheid en onverschilligheid, in hun afstomping als verdoofd of dronken. De verdachten maakten op mij de indruk alsof ze nog altijd en voor altijd onder invloed waren van deze verdoving, alsof ze er in zekere zin versteend in waren geraakt.

Toen al, toen ik me bezighield met die algehele verdoving en ook met het gegeven dat de verdoving niet alleen daders en slachtoffers in haar greep hield maar ook ons, de mensen die er als rechters of juryleden, openbare aanklagers of notulanten later mee te maken kregen, toen ik bovendien daders, slachtoffers, doden, levenden, overlevenden en de naoorlogse generatie met elkaar vergeleek, was het me onbehaaglijk te moede en nu is het me nog steeds onbehaaglijk te moede. Mag je dingen op die manier met elkaar vergelijken? Als ik in een gesprek voorzichtig een dergelijke vergelijking probeerde te maken, dan benadrukte ik weliswaar steeds dat de vergelijking niet het verschil relativeerde – of je gedwongen werd in een concentratiekamp te leven of er zelf voor had gekozen, of je had geleden of leed had berokkend – en dat dat verschil veeleer van de allergrootste, van doorslaggevende betekenis was. Maar ook dan stuitte ik op bevreemding of verontwaardiging wanneer ik dit niet pas in reactie op de argumenten van anderen naar voren bracht, maar nog voordat de anderen er iets tegen konden inbrengen.

Tegelijkertijd vraag ik me af, en begon ik me destijds al af te vragen: Wat moest en moet mijn generatie, die na de oorlog is opgegroeid, eigenlijk beginnen met de informatie over de verschrikkingen van de vernietiging der joden? We moeten niet denken dat we kunnen begrijpen wat onbegrijpelijk is, mogen niet met elkaar vergelijken wat niet vergeleken kan worden, mogen geen nadere vragen stellen omdat degene die nadere vragen stelt de verschrikkingen, ook als hij ze niet in twijfel trekt, tot onderwerp van de communicatie maakt en ze niet neemt als iets waarover hij alleen maar vol ontzetting, schaamte en schuld kan zwijgen. Moeten wij alleen maar vol ontzetting, schaamte en schuld tot zwijgen vervallen? Met welk doel? Niet dat ik de drang tot verwerking en voorlichting waarmee ik aan het werkcollege deelnam, tijdens het proces zomaar verloor. Maar dat slechts een enkeling werd veroordeeld en bestraft en dat wij, de volgende generatie, vol ontzetting, schaamte en schuld er het zwijgen toe deden – was dat alles?

5

IN DE TWEEDE week werd de aanklacht voorgelezen. Het
voorlezen duurde anderhalve dag – anderhalve dag lang
de aanvoegende wijs. Verdachte zou ten eerste..., ze
zou verder... bovendien zou ze..., daarmee zou ze zich
schuldig hebben gemaakt aan het in artikel zo-en-zo-
veel genoemde strafbare feit, verder zou ze dit strafbaar
feit en dat strafbaar feit..., ze zou ook onwettig en nala-
tig gehandeld hebben. Hanna was verdachte nummer
vier.

De vijf terechtstaande vrouwen waren bewaaksters in
een klein kamp in Krakow geweest, een doorgangs-
kamp van Auschwitz. Ze waren in het voorjaar van 1944
vanuit Auschwitz daarheen overgeplaatst; ze vervingen
bewaaksters die bij een explosie in de fabriek waar de
vrouwen van het kamp werkten, waren gedood of
gewond geraakt. Een onderdeel van de aanklacht betrof
hun gedrag in Auschwitz, maar dat was ondergeschikt
aan de andere gronden van de tenlastelegging. Ik weet
niet meer waarom het precies ging. Betrof het misschien Hanna misschien helemaal niet, maar alleen de
andere vrouwen? Was het, vergeleken met de andere
punten van de aanklacht of op zichzelf beschouwd, van
geringere betekenis? Leek het domweg onverdraaglijk
om iemand die in Auschwitz was geweest en die ze nu

te pakken hadden gekregen, niet wegens zijn gedrag in Auschwitz aan te klagen?

Natuurlijk hadden de vijf verdachten het kamp niet geleid. Er was een commandant, er waren bewakers en andere bewaaksters. De meeste bewakers en bewaaksters hadden de bommen niet overleefd die op een nacht een einde maakten aan de tocht van de gevangenen naar het westen. Enkelen hadden zich in diezelfde nacht uit de voeten gemaakt en waren even onvindbaar als de commandant die al het hazenpad had gekozen toen de stoet zich in beweging zette naar het westen. Van de gevangenen had eigenlijk niemand de nacht van de bommen mogen overleven. Maar er waren toch twee overlevenden, moeder en dochter, en de dochter had een boek over het kamp en de tocht naar het westen geschreven en in Amerika gepubliceerd. Politie en openbaar ministerie hadden niet alleen de vijf verdachten, maar ook enkele getuigen opgespoord die in het dorp hadden gewoond waar de bommen de tocht van de gevangenen naar het westen hadden beëindigd. De belangrijkste getuigen waren de dochter, die naar Duitsland was gekomen, en de moeder, die in Israël was gebleven. Om de getuigenverklaring van de moeder aan te horen reisden rechtbank, openbare aanklagers en verdedigers naar Israël – het enige onderdeel van het proces dat ik niet heb bijgewoond.

Een van de primair tenlastegelegde daden betrof de selecties in het kamp. Elke maand werden er vanuit Auschwitz circa zestig nieuwe vrouwen gestuurd en werden er evenveel teruggestuurd naar Auschwitz, verminderd met het aantal dat intussen was gestorven. Iedereen wist dat de vrouwen in Auschwitz werden vermoord; teruggestuurd werden die vrouwen die het werk in de fabriek niet meer konden doen. Het was een munitiefabriek waar het eigenlijke werk weliswaar niet zwaar was, maar waar de vrouwen nauwelijks aan het eigenlijke werk toekwamen omdat ze de boel moesten opbouwen sinds de explosie in het voorjaar grote schade had aangericht.

De andere primair tenlastegelegde daad had betrekking op de nacht van het bombardement, waarmee aan alles een eind kwam. De bewakers en de bewaaksters hadden de gevangenen, verscheidene honderden vrouwen, opgesloten in de kerk van een dorp dat door de meeste inwoners was verlaten. Er vielen slechts een paar bommen, die misschien bestemd waren voor een spoorlijn in de buurt of voor een fabriekscomplex, of die wellicht alleen maar werden afgeworpen omdat ze over waren van een aanval op een grote stad. Eén bom raakte de pastorie waarin de bewakers en de bewaaksters sliepen. Een tweede bom sloeg in de kerktoren. Eerst brandde de toren, toen het dak, toen kwam de zoldering brandend naar beneden en vatten de kerkbanken vlam. De zware deuren hielden stand. De verdachten hadden die kunnen opendoen. Ze deden het niet, en de in de kerk opgesloten vrouwen verbrandden.

6

VOOR HANNA HAD het proces niet slechter kunnen verlopen. Al bij haar ondervraging had ze geen goede indruk
gemaakt op de rechters. Na het voorlezen van de aanklacht vroeg ze het woord omdat er iets niet klopte; de
voorzitter wees haar geïrriteerd terecht en zei dat zij tijdens het vooronderzoek de aanklacht lang genoeg had
kunnen bestuderen en haar opmerkingen naar voren
had kunnen brengen, en wat er van de aanklacht klopte
of niet, zou tijdens de terechtzitting wel blijken uit de
bewijsvoering. Toen de voorzitter van de rechtbank aan
het begin van de verhoren voorstelde om af te zien van
het voorlezen van de Duitse versie van het boek dat de
dochter had geschreven omdat het, ter publicatie voorbereid door een Duitse uitgeverij, aan alle betrokkenen
in manuscript ter hand was gesteld, moest Hanna er
onder de geïrriteerde blik van de voorzitter door haar
advocaat toe worden overreed daarmee in te stemmen.
Ze wilde niet. Ze wilde ook niet accepteren dat ze bij
een vroeger rechterlijk verhoor had toegegeven dat ze
de sleutel van de kerk in haar bezit had gehad. Ze zou
de sleutel niet gehad hebben, niemand zou de sleutel
gehad hebben, er zou helemaal geen sprake zijn geweest van één enkele sleutel van de kerk, maar van verschillende sleutels van verschillende deuren, en die

zouden aan de buitenkant in de sloten gezeten hebben. Maar in het protocol van haar verhoor, door haar gelezen en ondertekend, stond het anders, en dat ze vroeg waarom men haar iets in de schoenen wilde schuiven, maakte de zaak er niet beter op. Ze stelde haar vragen niet luid, niet eigengereid, maar hardnekkig en ook, vond ik, zicht- en hoorbaar verward en radeloos, en dat ze het erover had dat men haar iets in de schoenen wilde schuiven, bedoelde ze niet als een beschuldiging van rechtsverkrachting. Maar de voorzitter van de rechtbank vatte het als zodanig op en reageerde scherp. Hanna's advocaat sprong overeind en liet een stortvloed van woorden los, kreeg vervolgens de vraag voorgelegd of hij achter het verwijt van zijn cliënte stond, en ging weer zitten.

Hanna wilde het goed doen. Als ze vond dat haar onrecht geschiedde, dan sprak ze tegen, en ze gaf toe als naar haar mening de beweringen en verwijten terecht waren. Ze sprak hardnekkig tegen en gaf bereidwillig toe, alsof ze zich door toe te geven het recht op tegenspraak kon verwerven, of door te weerspreken de plicht op zich nam om toe te geven wat ze redelijkerwijs niet kon bestrijden. Maar ze had niet in de gaten dat haar hardnekkigheid de voorzitter van de rechtbank ergerde. Ze had geen gevoel voor de context, voor de regels volgens welke het spel werd gespeeld, voor de formules volgens welke haar uitspraken en die van de anderen werden omgerekend naar schuld en onschuld, veroordeling en vrijspraak. Haar advocaat had, om haar gebrek aan gevoel voor de situatie te compenseren, meer ervaring en zelfverzekerdheid moeten hebben of gewoon beter moeten zijn. Of Hanna had het hem niet zo moeilijk mogen maken; ze weigerde hem kennelijk in vertrouwen te nemen, maar had ook niet gekozen voor een advocaat in wie ze wél vertrouwen stelde. Haar advocaat was een toegevoegd raadsman, door de voorzitter benoemd.

Soms kon Hanna een soort succesje boeken. Ik herinner me dat ze werd verhoord over de selecties in het kamp. De andere verdachten ontkenden daarmee ook maar iets van doen te hebben gehad. Hanna gaf zo bereidwillig toe dat ze daaraan had deelgenomen, niet als enige, maar net als de anderen en samen met hen, dat de voorzitter het nodig vond om er dieper op in te gaan.

'Hoe ging het eraan toe bij die selecties?'

Hanna beschreef dat de bewaaksters met elkaar hadden afgesproken om uit de zes even grote groepen waarover ze het voor het zeggen hadden, gelijke aantallen gevangenen aan te wijzen, tien per groep en in totaal zestig, maar dat die aantallen, wanneer er minder zieken waren of juist meer, per groep konden verschillen, en dat alle dienstdoende bewaaksters uiteindelijk samen beoordeelden wie er teruggestuurd moest worden.

'Niemand van u heeft zich daaraan onttrokken, u hebt er allemaal aan meegedaan?'

'Ja.'

'Wist u niet dat u de gevangenen de dood in stuurde?'

'Jawel, maar er kwamen nieuwe, en de oude moesten plaatsmaken voor de nieuwe.'

'U hebt dus, omdat u plaats wilde inruimen, gezegd: jij en jij en jij moeten terug, om te worden vermoord?'

Hanna begreep niet wat de voorzitter daarmee wilde vragen.

'Ik heb... Ik bedoel... Wat had u dan gedaan?' Dat was door Hanna werkelijk als een vraag bedoeld. Ze wist niet wat ze anders had moeten doen, anders had kunnen doen, en wilde daarom van de voorzitter, die alles scheen te weten, horen wat hij zou hebben gedaan.

Een ogenblik was het stil. In een Duits strafproces horen verdachten geen vragen te stellen aan rechters.

Maar nu was de vraag gesteld en iedereen wachtte op het antwoord van de rechter. Hij moest antwoorden, kon de vraag niet negeren of met een afkeurende opmerking, een afwijzende tegenvraag, van tafel vegen. Het was iedereen duidelijk, het was hemzelf duidelijk, en ik begreep waarom hij de geïrriteerde uitdrukking als trucje hanteerde. De irritatie was zijn masker geworden. Daarachter kon hij een beetje de tijd nemen om het antwoord te vinden. Maar niet te veel tijd; hoe langer hij wachtte, des te groter werden spanning en verwachting, des te beter moest het antwoord uitvallen.

'Er zijn dingen waarmee men zich eenvoudigweg niet mag inlaten en waarvan iemand zich, als het hem niet de kop kost, moet distantiëren.'

Misschien zou het voldoende zijn geweest als hij hetzelfde had gezegd, maar daarbij over Hanna of ook over zichzelf had gesproken. Erover praten wat je moet doen en wat je niet mag doen en tot welke prijs, strookte niet met de ernst van Hanna's vraag. Ze had willen weten wat zij in haar situatie had moeten doen, niet dat er dingen zijn die men niet hoort te doen. Het antwoord van de rechter maakte een hulpeloze, zielige indruk. Iedereen voelde het zo. De mensen reageerden met een teleurgestelde zucht en keken verwonderd naar Hanna, die de woordenwisseling in zekere zin had gewonnen. Maar zijzelf bleef in gedachten.

'Dus ik had... had niet... had me niet mogen aanmelden bij Siemens?'

Dat was geen vraag aan de rechter. Ze sprak voor zich uit, vroeg het zichzelf, aarzelend, omdat ze die vraag nog nooit aan zichzelf had gesteld en nu twijfelde of het de juiste vraag was en hoe het antwoord luidde.

7

EVENZEER ALS DE hardnekkigheid waarmee Hanna tegensprak de voorzitter van de rechtbank ergerde, ergerde de bereidwilligheid waarmee ze toegaf de andere verdachten. Voor hun verdediging, maar ook voor Hanna's eigen verdediging, was die fataal.

Eigenlijk zag het er gunstig uit voor de verdachten. Bewijzen voor het eerste punt van de primaire tenlastelegging konden uitsluitend worden geleverd op grond van de getuigenverklaringen van de moeder en de dochter die hadden overleefd, en het boek van de laatste. Een goede verdediging zou, zonder de kern van de verklaringen van moeder en dochter aan te tasten, geloofwaardig hebben kunnen bestrijden dat uitgerekend deze verdachten de selecties hadden verricht. In zoverre waren de getuigenverklaringen niet precies en konden ze ook niet precies zijn; het ging immers om een commandant, bewakers, andere bewaaksters en een hiërarchie met betrekking tot taken en bevelen waarmee de gevangenen slechts gedeeltelijk in aanraking kwamen en die ze slechts gedeeltelijk konden doorzien. Zo was het min of meer ook met het tweede punt van de aanklacht. Moeder en dochter hadden opgesloten gezeten in de kerk en konden over wat er buiten was gebeurd geen verklaringen afleggen. De verdachten konden weliswaar niet doen alsof ze er niet bij waren geweest. De andere getuigen, die destijds in het dorp hadden gewoond, hadden met hen gesproken en wisten zich hen te herinneren. Maar die andere getuigen moesten oppassen dat zij niet werden getroffen door het verwijt dat ze de gevangenen zelf hadden kunnen redden. Als alleen de verdachten aanwezig waren geweest – hadden dan de bewoners van het dorp die paar vrouwen niet kunnen overmeesteren en zelf de deuren van de kerk kunnen openen? Moesten ze zich niet aansluiten bij de verdediging, die beweerde dat de verdachten hadden gehandeld onder een dwang die ook hen, de getuigen, ontlastte? Dat ze waren gedwongen door de macht of het bevel van de bewakers, die immers nog niet waren gevlucht of van wie de verdachten in ieder geval hadden aangenomen dat ze maar heel even weg waren gegaan, wellicht om gewonden naar een lazaret te brengen, en dat ze gauw weer terug zouden komen?

Toen de verdedigers van de andere verdachten merkten dat zulke strategieën strandden op Hanna's bereidwilligheid om toe te geven, kozen ze voor een strategie waardoor haar bereidwilligheid om toe te geven werd uitgebuit, waardoor Hanna belast en de andere verdachten ontlast werden. De verdedigers deden het met een beroepsmatige distantie. De andere verdachten secondeerden met verontwaardigde verwijten.

'U hebt gezegd dat u hebt geweten dat u de gevangenen de dood in stuurde – dat geldt alleen voor u, nietwaar? Wat uw collega's hebben geweten, kunt u niet weten. U kunt het misschien vermoeden, maar uiteindelijk niet beoordelen, nietwaar?'

Hanna kreeg de vraag door de advocaat van een andere verdachte voorgelegd.

'Maar wij wisten allemaal...'

'"Wij", "wij allemaal", is gemakkelijker te zeggen dan

"ik", "ik alleen", nietwaar? Klopt het dat u, u alleen, in het kamp beschermelingen had, jonge meisjes steeds, een poosje de een en dan een poosje een ander?'

Hanna aarzelde. 'Ik geloof dat ik niet de enige was die...'

'Smerige leugenaarster! Jouw lievelingen – dat was jij, jij alleen!' Een andere verdachte, een plompe vrouw met het trage gedrag van een kloek en tegelijkertijd met een brutale mond, was zichtbaar opgewonden.

'Zou het kunnen dat u "weten" zegt als u hoogstens iets kunt geloven, en dat u "geloven" zegt als u gewoon iets verzint?' De advocaat schudde zijn hoofd, alsof hij haar bevestigende antwoord bezorgd aanhoorde. 'Klopt het ook dat al uw beschermelingen, als u genoeg van ze had, op het eerstvolgende transport naar Auschwitz werden gezet?'

Hanna antwoordde niet.

'Dat was uw speciale, uw persoonlijke selectie, nietwaar? U wilt er nu niets meer van horen, u wilt u verstoppen achter iets dat alle anderen ook hebben gedaan. Maar...'

'Mijn god!' De dochter, die na haar ondervraging tussen het publiek was gaan zitten, sloeg haar handen voor haar gezicht. 'Hoe heb ik dat kunnen vergeten?' De voorzitter vroeg haar of ze iets wilde toevoegen aan haar verklaring. Ze wachtte niet tot ze naar voren werd geroepen. Ze stond op en sprak vanaf haar plaats tussen de toeschouwers.

'Ja, ze had lievelingen, altijd een van die jonge, zwakke en tengere meisjes, en die nam ze onder haar hoede en ze zorgde dat ze niet hoefden te werken, gaf ze beter onderdak en zorgde ervoor dat ze beter te eten kregen, en 's avonds liet ze ze op haar kamer komen. En de meisjes mochten niet zeggen wat ze 's avonds met hen deed en wij dachten dat ze met hen... ook omdat ze allemaal op transport werden gezet, alsof zij ze voor een pleziertje had benut en nu genoeg van ze had. Maar dat was helemaal niet zo, en op een dag heeft toch een van de meisjes gepraat en wisten we dat de meisjes haar hebben voorgelezen, avond na avond na avond. Dat was beter dan wanneer ze... ook beter dan wanneer ze zich bij de bouwwerkzaamheden dood hadden gewerkt, ik moet gedacht hebben dat het beter was, anders had ik het niet kunnen vergeten. Maar was het wel beter?' Ze ging weer zitten.

Hanna draaide zich om en keek me aan. Haar blik vond me meteen, en zo merkte ik dat ze al die tijd had geweten dat ik er was. Ze keek me simpelweg aan. Haar gezicht vroeg om niets, smeekte om niets, verzekerde of beloofde niets. Het bood zich aan. Ik zag hoe gespannen en uitgeput ze was. Ze had kringen onder haar ogen en elke wang vertoonde van boven naar beneden een rimpel die ik niet kende, die nog niet diep was maar haar al als een litteken tekende. Toen ik onder haar blik rood werd, keerde ze zich van mij af en wendde zich weer tot de rechtbank.

De voorzitter wilde van de advocaat die Hanna had ondervraagd weten of hij nog vragen had voor de verdachte. Hij wilde het van Hanna's advocaat weten. Vraag het haar, dacht ik, vraag haar of ze de zwakke en tengere meisjes heeft uitgekozen omdat die het werk op de bouw toch niet zouden uithouden, omdat ze toch op transport naar Auschwitz zouden worden gezet en omdat ze de laatste maand draaglijk voor hen wilde maken. Zeg het, Hanna. Zeg dat je de laatste maand draaglijk voor hen wilde maken. Dat dat de reden was om de tengere en zwakke meisjes uit te kiezen. Dat er geen andere reden was, dat die er niet kon zijn.

Maar de advocaat vroeg het niet aan Hanna en zij nam niet zelf het woord.

8

DE DUITSE VERSIE van het boek dat de dochter over haar tijd in het kamp had geschreven, verscheen pas na het proces. Tijdens het proces bestond het al wel als manuscript, maar dat stond alleen ter beschikking van de direct betrokkenen bij het proces. Ik moest het boek in het Engels lezen, destijds een ongebruikelijke en moeizame onderneming. En zoals steeds zorgde de vreemde taal, die je niet beheerst en waarmee je overhoop ligt, voor een merkwaardige mengeling van distantie en nabijheid. Je hebt het boek grondig doorgenomen en het je toch niet eigen gemaakt. Het blijft even vreemd als de taal vreemd is.

Jaren later heb ik het opnieuw gelezen en ontdekt dat het boek zelf distantie schept. Het nodigt niet uit tot identificatie en maakt niemand sympathiek, noch de moeder noch de dochter, noch degenen met wie beiden in verschillende kampen en ten slotte in Auschwitz en bij Krakow het lot deelden. De kapo's, de bewaaksters en de bewakers krijgen in het algemeen te weinig gezicht en gestalte voor iemand die een houding tegenover hen in probeert te nemen, die ze beter of slechter probeert te vinden. Het boek ademt de verdoving die ik al heb geprobeerd te beschrijven. Maar het vermogen om te registreren en te analyseren heeft de dochter onder die verdoving niet verloren. En ze heeft zich niet laten corrumperen, niet door zelfmedelijden en niet door het zelfbewustzijn dat ze merkbaar heeft ontwikkeld doordat ze heeft overleefd en de jaren in het kamp niet alleen heeft doorstaan, maar ook in een literaire vorm heeft gegoten. Ze schrijft over zichzelf en over haar puberale, wijsneuzige en, als het erop aankwam, doortrapte gedrag met dezelfde nuchterheid waarmee ze al het andere beschrijft.

Hanna komt in het boek noch met haar naam noch op een andere herkenbare en identificeerbare manier voor. Soms meende ik haar in een bewaakster te herkennen die werd afgeschilderd als jong, mooi en in de vervulling van haar taak van een gewetenloze nauwgezetheid, maar ik was er niet zeker van. Als ik de andere verdachten bekeek, kon alleen Hanna de beschreven bewaakster zijn. Maar er waren ook andere bewaaksters geweest. In een van de kampen had de dochter een bewaakster meegemaakt die 'merrie' werd genoemd, eveneens jong, mooi en flink, maar wreed en onbeheerst. Daaraan deed de bewaakster in het kamp haar denken. Hadden ook anderen de vergelijking gemaakt? Wist Hanna ervan, had ze er een herinnering aan en was ze daarom zo geraakt geweest toen ik haar met een paard vergeleek?

Het kamp bij Krakow was voor moeder en dochter het laatste verblijf na Auschwitz. Het was een vooruitgang; het werk was zwaar, maar lichter, het eten was beter en het was beter om met zes vrouwen in een ruimte te slapen dan met honderd in een barak. En het was er warmer; de vrouwen konden op weg van de fabriek naar het kamp hout rapen en meenemen. Er was de angst voor de selecties. Maar ook die waren niet zo erg als in Auschwitz. Zestig vrouwen werden elke maand teruggestuurd, zestig van de circa twaalfhonderd; je had dus zelfs een overlevingskans van twintig maanden wanneer je over niet meer dan doorsnee kracht beschikte, en je kon tenminste de hoop koesteren dat je sterker was dan de doorsnee. Bovendien mocht je de verwachting koesteren dat de oorlog al in minder dan twintig maanden ten einde zou zijn.

De ellende begon toen het kamp werd opgeheven en de gevangenen op weg gingen naar het westen. Het was winter, het sneeuwde, en de kleren waarin de vrouwen het in de fabriek koud hadden gehad en het in het kamp enigszins hadden uitgehouden, waren totaal ontoereikend, en nog ontoereikender was hun schoeisel, vaak van lappen en krantenpapier, dat op zo'n manier aan elkaar was geknoopt dat het bij het staan en lopen nog wel heel bleef, maar dat niet zodanig aan elkaar geknoopt kon worden dat het lange marsen door sneeuw en ijs kon doorstaan. De vrouwen marcheerden ook niet alleen; ze werden opgejaagd, moesten in looppas. 'Dodenmars?' vraagt de dochter in het boek en antwoordt: 'Nee, dodendraf, dodengalop.' Velen zakten onderweg in elkaar, anderen stonden na de nachten in een schuur of alleen maar bij een muur niet meer op. Na een week was bijna de helft van de vrouwen dood.

De kerk was een beter onderdak dan de schuren en de muren die de vrouwen daarvoor hadden gehad. Als ze langs verlaten boerderijen waren gekomen en daar hadden overnacht, hadden de bewakers en de bewaaksters het woongedeelte voor zichzelf in gebruik genomen. Hier, in het voor het grootste gedeelte verlaten dorp, konden ze voor zichzelf de pastorie nemen en voor de gevangenen bleef er dan nog altijd meer over dan een schuur of een muur. Dat ze het deden en dat er in het dorp zelfs een warm brouwsel te eten was, leek het einde van de ellende te beloven. Zo sliepen de vrouwen in. Niet veel later vielen de bommen. Zolang alleen de toren brandde, was het vuur in de kerk te horen maar niet te zien. Toen de torenspits afbrak en in de dakstoel sloeg, duurde het minuten voordat het schijnsel van het vuur te zien was. Toen lekten ook al de vlammen naar beneden en deden kleren ontvlammen, vallende branddende balken zetten de banken en de kansel in brand, en binnen de kortste keren viel de dakstoel met veel lawaai in het schip van de kerk en stond alles in lichterlaaie.

De dochter gelooft dat de vrouwen zichzelf hadden kunnen redden als ze meteen waren begonnen met z'n allen een van de deuren te forceren. Maar voordat ze in de gaten hadden wat er was gebeurd, wat er zou gaan gebeuren en dat niemand ze zou komen bevrijden, was het te laat. Het was een pikdonkere nacht toen de inslag van de bom ze wekte. Een poosje hoorden ze alleen een raadselachtig, beangstigend geluid in de toren en waren ze heel stil om het geluid beter te kunnen horen en duiden. Dat het het geruis en geknetter van vuur was, dat het het schijnsel van de vlammen was dat af en toe oplichtte achter de ramen, dat de klap die ze boven hun hoofden hoorden het overslaan van het vuur van de toren naar het dak betekende – de vrouwen begrepen dat alles pas toen ze zagen dat de dakstoel brandde. Ze begrepen het en schreeuwden het uit, schreeuwden vol ontzetting, schreeuwden om hulp, stormden naar de deuren, rammelden eraan, bonkten erop, schreeuwden.

Toen de brandende dakstoel met donderend geraas in het schip van de kerk neerkwam, omvatten de omringende muren het vuur als een schoorsteen. De meeste vrouwen zijn niet gestikt, maar in de fel laaiende en loeiende vlammen verbrand. Ten slotte was het vuur zelfs door de met ijzer beslagen kerkdeuren heen gebrand, had het die verzengd. Maar dat was uren later.

Moeder en dochter overleefden omdat de moeder om

de verkeerde redenen het juiste deed. Toen de vrouwen in paniek raakten, kon ze het beneden te midden van hen niet meer uithouden. Ze vluchtte naar de gaanderij. Dat ze daar dichter bij de vlammen was, kon haar niets schelen, ze wilde slechts alleen zijn, weg van de schreeuwende, heen en weer rennende, brandende vrouwen. De gaanderij was smal, zo smal dat die door de brandende balken nauwelijks werd geraakt. Moeder en dochter drukten zich tegen de muur en zagen en hoorden hoe het vuur woedde. Ze waagden het de volgende dag niet om naar beneden en naar buiten te gaan. In de duisternis van de volgende nacht waren ze bang de traptreden niet te kunnen zien en de weg kwijt te raken. Toen ze in de ochtendschemering van de dag daarop de kerk uitkwamen, liepen ze een paar dorpelingen tegen het lijf die hen verbijsterd en sprakeloos aanstaarden, maar hun kleren en eten gaven en hen lieten gaan.

9

'WAAROM HEEFT U de deuren niet geopend?'

De voorzitter stelde aan iedere verdachte afzonderlijk dezelfde vraag. De ene verdachte na de andere gaf hetzelfde antwoord. Ze had de deuren niet kunnen openen. Waarom? Omdat ze bij de inslag van de bom in de pastorie gewond was geraakt. Of omdat ze door de inslag in een shock was geraakt. Of omdat ze zich na de bominslag om de gewonde bewakers en andere bewaaksters had bekommerd, ze uit de puinhopen had gehaald, verbonden, verzorgd. Ze had niet aan de kerk gedacht, was niet in de buurt van de kerk geweest, had de brand in de kerk niet gezien en het geschreeuw in de kerk niet gehoord.

De voorzitter van de rechtbank legde de ene verdachte na de andere hetzelfde ten laste. Het verslag gaf een andere lezing. Dat verslag was met opzet voorzichtig geformuleerd. Het zou verkeerd geweest zijn om te zeggen dat het in het verslag, dat in de documenten van de ss was gevonden, anders stond. Maar het was juist dat het een andere lezing gaf. Het vermeldde namelijk wie er in de pastorie gedood en wie er gewond waren, wie de gewonden met een vrachtwagen naar een veldhospitaal had vervoerd en wie het transport in de ketelwagen had begeleid. Het verslag vermeldde dat de bewaaksters waren achtergebleven om het einde van de brand af te wachten, om het overslaan van de vlammen te verhinderen en om vluchtpogingen die door de branden gedekt zouden worden, tegen te gaan. Het verslag vermeldde ook de dood van de gevangenen.

Dat de namen van de verdachten niet onder de vermelde namen voorkwamen, deed vermoeden dat de verdachten tot de achtergebleven bewaaksters hadden behoord. Dat de bewaaksters waren achtergebleven om vluchtpogingen te verhinderen, deed vermoeden dat met de berging van de gewonden uit de pastorie en het vertrek van het transport naar het veldhospitaal nog niet alles voorbij was. De achtergebleven bewaaksters hadden, dat kon je eruit opmaken, de brand in de kerk laten voortwoeden en de deuren van de kerk gesloten gehouden. Onder de achtergebleven bewaaksters waren, dat kon je eruit opmaken, de verdachten geweest.

Nee, zei de ene verdachte na de andere, zo was het niet gegaan. Het verslag had het bij het verkeerde eind. Dat kon je opmaken uit het feit dat het vermeldde dat de achtergebleven bewaaksters het overslaan van het vuur hadden moeten verhinderen. Hoe hadden ze die taak moeten vervullen. Dat was onzin, en evenzo was de andere taak, om vluchtpogingen onder dekking van de branden te verhinderen, onzin. Vluchtpogingen? Toen ze zich niet meer om de eigen mensen hoefden te bekommeren en ze zich om de anderen, de gevangenen, niet meer konden bekommeren, was er niet veel meer te vluchten geweest. Nee, het verslag had helemaal geen oog voor wat ze die nacht hadden gedaan, gepresteerd en geleden. Hoe zo'n verkeerd verslag dan wel tot stand was gekomen? Ze wisten het ook niet.

Tot de fors-venijnige verdachte aan de beurt was. Zij wist het. 'Vraagt u het haar maar eens!' Ze wees met haar vinger naar Hanna. 'Die heeft het verslag geschreven.

Het is allemaal haar schuld, haar schuld alleen, en met het verslag heeft ze dat willen verhullen en ons erin luizen.'

De voorzitter stelde Hanna de vraag. Maar het was zijn laatste vraag. Zijn eerste vraag was: 'Waarom heeft u de deuren niet geopend?'

'We waren... we hadden...' Hanna zocht naar het antwoord. 'We zagen geen andere oplossing.'

'U zag geen andere oplossing?'

'Een paar van ons waren dood, en de anderen waren ervandoor gegaan. Ze zeiden dat ze de gewonden naar het hospitaal gingen brengen en dan weer terug zouden komen, maar ze wisten dat ze niet terug zouden komen, en wij wisten dat ook. Misschien zijn ze ook helemaal niet naar het hospitaal gereden, zo erg waren de gewonden er niet aan toe. Wij zouden ook zijn meegegaan, maar ze zeiden dat de plaatsen nodig waren voor de gewonden, en ze hadden toch al niet... ze hadden toch al niet veel zin om zoveel vrouwen mee te nemen. Ik weet niet waar ze naartoe zijn gegaan.'

'Wat heeft u gedaan?'

'We wisten niet wat we moesten doen. Het ging allemaal zo snel, en de pastorie brandde en de kerktoren, en de mannen en auto's waren er net nog en toen waren ze weg, en opeens waren we alleen met de vrouwen in de kerk. Ze hadden wel een paar wapens achtergelaten, maar we wisten niet hoe we daarmee om moesten gaan, en als we dat wel hadden geweten, wat hadden we er dan aan gehad, het handjevol vrouwen dat we waren. Hoe hadden we al die vrouwen moeten bewaken? Zo'n stoet is heel erg lang, ook als je iedereen bij elkaar houdt, en om zo'n lange sliert te bewaken heb je veel meer nodig dan een paar vrouwen.' Hanna zweeg even. 'Toen begon het geschreeuw en het werd steeds erger. Als we op dat moment de deuren hadden opengedaan en ze waren allemaal naar buiten gekomen...'

De voorzitter wachtte een ogenblik. 'Was u bang? Was u bang dat de gevangenen u zouden overmeesteren?'

'Dat de gevangenen ons... nee, maar hoe hadden we er ooit nog orde in kunnen brengen? Dat zou een chaos zijn geworden, daarmee hadden we niets kunnen beginnen. En als ze hadden geprobeerd om te vluchten...'

Weer wachtte de voorzitter, maar Hanna maakte haar zin niet af. 'Was u bang dat men u zou arresteren, veroordelen, doodschieten wanneer de gevangenen zouden zijn gevlucht?'

'We konden ze toch niet zomaar laten vluchten! We waren er toch verantwoordelijk voor... Ik bedoel, we hadden ze toch de hele tijd bewaakt, in het kamp en in de trein, dat was toch de bedoeling, dat wij ze bewaakten en dat ze niet vluchtten. Daarom wisten we niet wat we moesten doen. We wisten ook niet hoeveel vrouwen de volgende dagen zouden overleven. Er waren er al zoveel gestorven, en de vrouwen die nog leefden waren ook al zo verzwakt...'

Hanna merkte dat ze met deze woorden haar zaak geen dienst bewees. Maar ze kon niets anders zeggen. Ze kon alleen proberen om wát ze zei beter te zeggen, beter te beschrijven en te verklaren. Maar hoe meer ze zei, hoe slechter haar zaak ervoor kwam te staan. Omdat ze voelde dat ze geen kant meer uit kon, richtte ze zich opnieuw tot de voorzitter.

'Wat zou u dan hebben gedaan?'

Maar deze keer wist ze zelf dat ze geen antwoord zou krijgen. Ze verwachtte geen antwoord. Niemand verwachtte een antwoord. De voorzitter schudde zwijgend zijn hoofd.

Niet dat je je de radeloosheid en hulpeloosheid die Hanna beschreef niet zou kunnen voorstellen. De nacht, de kou, de sneeuw, de brand, het geschreeuw van de vrouwen in de kerk, het verdwijnen van de mannen die het bevel over de bewaaksters hadden gevoerd en hen hadden begeleid – hoe had die situatie eenvoudig moeten zijn. Maar kon het besef dat de situatie ingewikkeld was geweest de ontzetting relativeren over wat de verdachten hadden gedaan, of ook niet gedaan? Alsof het om een auto-ongeluk op een eenzame weg in een koude winternacht was gegaan, met gewonden en total loss gereden auto's, waarbij je niet weet wat te doen? Of om een conflict tussen twee plichten die allebei onze inzet verdienen? Zo kon je, maar wilde je je niet voorstellen wat Hanna beschreef.

'Hebt u het verslag geschreven?'

'We hebben met z'n allen overlegd wat we zouden schrijven. We wilden degenen die ervandoor waren gegaan niet iets in de schoenen schuiven. Maar dat wij zelf iets fout hadden gedaan, daar wilden we ook niets van weten.'

'U zegt dus dat u overleg hebt gevoerd. Wie heeft geschreven?'

'Jij!' De andere verdachte wees met haar vinger naar Hanna.

'Nee, ik heb niet geschreven. Is het belangrijk wie er geschreven heeft?'

Een openbare aanklager stelde voor om een deskundige het handschrift van het verslag en het handschrift van de verdachte Schmitz met elkaar te laten vergelijken.

'Mijn handschrift? U wilt mijn handschrift...'

De voorzitter, de openbare aanklager en Hanna's verdediger discussieerden erover of een handschrift zijn identiteit meer dan vijftien jaar behoudt en herkenbaar blijft. Hanna luisterde en maakte een paar keer aanstalten om iets te zeggen of te vragen, ze was in toenemende mate gealarmeerd. Toen zei ze: 'U hoeft er geen deskundige bij te halen. Ik geef toe dat ik het verslag heb geschreven.'

10

AAN DE WERKCOLLEGES op de vrijdagen heb ik geen herinnering. Ook als ik me het proces voor de geest haal,
weet ik niet meer wat we wetenschappelijk hebben
onderzocht. Waarover hebben we gesproken? Wat wilden we weten? Welk lesje wilde de professor ons leren?

Maar ik herinner me de zondagen. Van de dagen in
de rechtszaal nam ik een voor mij nieuwe honger naar
de kleuren en geuren van de natuur mee. Op de vrijdagen en zaterdagen heb ik datgene wat ik op de andere
weekdagen aan studie verzuimde, in ieder geval in
zoverre ingehaald dat ik bij de werkcolleges mee kon
komen en de verplichte taken van het semester vervulde. Op de zondagen zette ik de pas erin.

Heiligenberg, Michaelsbasiliek, Bismarcktoren, Phi-
losophenweg, rivieroever – ik heb op die zondagen in
mijn route slechts geringe variaties aangebracht. Ik
vond het afwisselend genoeg om van week tot week het
groen voller en het Rijndal nu eens in de zinderende
hitte, dan weer achter regensluiers en dan weer onder
donderwolken te zien, en in het bos de bessen en bloemen te ruiken als de zon erop brandde, en de aarde en
het rottende blad van het vorige jaar als het regende. Ik
heb in het algemeen niet veel afwisseling nodig en ga er
ook niet naar op zoek. De volgende reis een klein stukje

verder dan de laatste, de volgende vakantie in het dorp dat ik tijdens de vorige vakantie heb ontdekt en waar ik het naar mijn zin heb gehad – een tijd lang dacht ik dat ik ondernemender moest zijn en dwong ik mijzelf reizen te ondernemen naar Ceylon, Egypte en Brazilië, alvorens ik er weer toe overging om mij de vertrouwde streken nog vertrouwder te maken. Ik zie daar meer.

Ik heb de plek in het bos teruggevonden waar Hanna's geheim zich aan mij onthulde. Die plek heeft niets bijzonders en had toen ook niets bijzonders, geen merkwaardig gevormde boom of rots, geen uitzonderlijke blik op de stad of de vlakte, niets wat zou uitnodigen tot verrassende associaties. Tijdens het nadenken over Hanna, week in week uit dezelfde banen beschrijvend, had zich een gedachte afgesplitst, die haar eigen weg gevolgd had en ten slotte haar eigen uitkomst had opgeleverd. Toen zij die bereikt had, had zij die bereikt – het had overal kunnen gebeuren, of in ieder geval overal waar de vertrouwdheid van de omgeving en de omstandigheden het toelaten om het verrassende dat je niet van buitenaf toevalt maar dat van binnenuit groeit, waar te nemen en aan te nemen. Zo gebeurde het op een pad dat steil de berg op loopt, de straatweg oversteekt, een waterput passeert en eerst onder oude, hoge, donkere bomen en dan door licht struikgewas leidt.

Hanna kon niet lezen en schrijven.

Daarom had ze zich laten voorlezen. Daarom had ze tijdens onze fietstocht het schrijven en lezen aan mij overgelaten en was 's ochtends in het hotel buiten zichzelf geweest toen ze mijn briefje had gevonden, mijn verwachting dat zij de inhoud ervan kende, had vermoed en haar ontmaskering gevreesd. Daarom had ze zich onttrokken aan haar promotie bij de trammaatschappij; haar zwakke plek, die ze als conductrice kon verbergen, zou bij de opleiding tot bestuurder zijn ontdekt. Daarom had ze zich onttrokken aan de promotie bij Siemens en was bewaakster geworden. Daarom had ze, om de confrontatie met de deskundige te ontlopen, toegegeven dat ze het verslag zelf had geschreven. Had ze daarom tijdens het proces gepraat alsof haar leven ervan afhing? Omdat ze noch het boek van de dochter noch de aanklacht had gelezen, de kansen voor haar verdediging niet had gezien en zich niet op een doeltreffende manier had kunnen voorbereiden? Had ze daarom haar beschermelingen naar Auschwitz gestuurd? Om ze, voor het geval ze iets gemerkt hadden, het zwijgen op te leggen? En had ze om die reden de zwakken tot haar beschermelingen gemaakt?

Om die reden? Dat ze zich schaamde niet te kunnen lezen en schrijven, en mij liever bevreemd had dan zichzelf te kijk gezet, dat kon ik begrijpen. Schaamte als reden voor afhoudend, afwerend, verbergend en misleidend, ook kwetsend gedrag kende ik zelf. Maar Hanna's schaamte niet te kunnen lezen en schrijven, als reden voor haar gedrag tijdens het proces en in het kamp? Uit angst voor de ontmaskering als analfabete de ontmaskering als misdadigster? Uit angst voor de ontmaskering als analfabete de misdaad?

Hoe vaak heb ik mijzelf toen en later dezelfde vragen gesteld. Als Hanna's motief de angst voor ontmaskering was – hoezo dan in plaats van de onschuldige ontmaskering als analfabete de verschrikkelijke ontmaskering als misdadigster?

Ik heb het toen en later altijd weer verworpen. Nee, heb ik tegen mijzelf gezegd, Hanna had niet gekozen voor de misdaad. Ze had ervoor gekozen de promotie bij Siemens van de hand te wijzen en was door toeval in de functie van bewaakster terechtgekomen. En nee, ze had de tengere en verzwakte meisjes niet op transport naar Auschwitz gestuurd omdat ze haar hadden voorgelezen, maar ze had ze voor het voorlezen uitgekozen omdat ze de laatste maand draaglijk voor hen wilde maken, totdat ze onvermijdelijk naar Auschwitz moesten. En nee, in het proces maakte Hanna geen afweging tussen de ontmaskering als analfabete en de ontmaskering als misdadigster. Ze calculeerde niet en volgde geen tactiek. Ze accepteerde dat ze ter verantwoording werd geroepen, wilde alleen niet verder te kijk gezet worden. Ze was niet uit op haar eigen belang, maar streed voor haar waarheid, haar gerechtigheid. Het waren, omdat ze zich altijd een beetje anders moest voordoen, omdat ze nooit helemaal eerlijk, nooit helemaal zichzelf kon zijn, een schamele waarheid en een schamele gerechtigheid, maar ze waren wel die van haarzelf, en de strijd ervoor was daarom haar eigen strijd.

Ze moest totaal uitgeput zijn. Ze vocht niet alleen in het proces. Ze vocht altijd en had altijd gevochten, niet om te laten zien wat ze kon, maar om te verbergen wat ze niet kon. Een leven waarin elke stap voorwaarts een inspannende terugtocht betekende en de overwinningen bestonden uit heimelijke nederlagen.

Ik was merkwaardig getroffen door de discrepantie tussen datgene wat Hanna bij het vertrek uit mijn geboortestad moet hebben beziggehouden en datgene wat ik me destijds had voorgesteld en ingebeeld. Ik was ervan overtuigd dat ik haar, door haar te verraden en verloochenen, had verdreven, en inderdaad had ze zich zonder meer aan een ontmaskering bij de trammaatschappij onttrokken. De omstandigheid dat ik haar niet had verdreven, veranderde evenwel niets aan het feit dat ik haar had verraden. Dus bleef ik schuldig. En als ik niet schuldig was, omdat men niet schuldig wordt door het verraden van een misdadigster, dan was ik schuldig omdat ik van een misdadigster had gehouden.

II

DOORDAT HANNA TOEGAF dat zij het verslag had geschreven, kregen de andere verdachten vrij spel. Hanna zou, zo ze al niet alleen had gehandeld, dan toch de anderen hebben aangespoord, bedreigd, gedwongen. Ze zou zich het commando hebben toegeëigend. Ze zou de pen én het woord hebben gevoerd. Zij zou de besluiten hebben genomen.

De inwoners van het dorp die als getuigen optraden, konden dat noch bevestigen noch weerleggen. Ze hadden gezien dat de brandende kerk door verscheidene vrouwen in uniform bewaakt en niet geopend werd, en hadden het daarom niet gewaagd zelf de kerk te openen. Ze waren de vrouwen de volgende ochtend tegengekomen, toen die vertrokken, en herkenden hen in de verdachten. Maar welke verdachte bij de ochtendlijke ontmoeting de boventoon had gevoerd, en of er eigenlijk wel een van de verdachten de boventoon had gevoerd, konden ze niet zeggen.

'Maar u kunt niet uitsluiten dat deze verdachte,' de advocaat van een van de andere verdachten wees naar Hanna, 'de besluiten nam?'

Ze konden het niet, hoe zouden ze ook, en oog in oog met de andere verdachten, zichtbaar ouder, vermoeider, laffer en verbitterder, wilden ze het ook niet. Vergeleken met de andere verdachten was Hanna de aanvoerster. Bovendien zou het bestaan van een aanvoerster de bewoners van het dorp ontlasten; tegenover een strak geleide eenheid verzuimd te hebben om hulp te bieden, maakte een betere indruk dan het verzuim tegenover een groep ontredderde vrouwen.

Hanna vocht door. Ze gaf toe wat klopte, en bestreed wat niet klopte. Ze bestreed met een steeds vertwijfelder heftigheid. Ze verhief nooit haar stem. Maar alleen al de intensiteit waarmee ze sprak, bevreemdde de rechtbank.

Ten slotte gaf ze het op. Ze sprak alleen nog als haar iets werd gevraagd, ze antwoordde kort, karig, vaak slordig. Alsof ze zichtbaar wilde maken dat ze het had opgegeven bleef ze nu, als ze sprak, zitten. De voorzitter van de rechtbank, die haar in het begin van het proces een paar keer had gezegd dat ze niet hoefde te gaan staan, dat ze gerust kon blijven zitten, nam ook dat bevreemd in ogenschouw. Soms had ik tegen het eind van het proces de indruk dat de rechtbank er genoeg van had, dat het proces wel lang genoeg had geduurd, dat de aandacht niet langer bij de zaak was maar bij iets anders, terug in het heden na al die weken in het verleden.

Ook ik had er genoeg van. Maar ik kon de zaak niet van me afzetten. Voor mij liep het proces niet ten einde, maar begon het pas. Ik was toeschouwer geweest en plotseling deelnemer geworden, medespeler en medebeslisser. Ik had die nieuwe rol niet gezocht en verkozen, maar ik hád die rol, of ik wilde of niet, of ik nu iets deed dan wel me totaal passief opstelde.

Iets deed – het ging slechts om één ding. Ik kon naar de voorzitter van de rechtbank gaan en hem vertellen dat Hanna analfabete was. Dat ze niet de hoofdrolspeelster en -verdachte was die de anderen van haar maakten. Dat haar houding tijdens het proces niet wees op een bijzondere hardleersheid, geborneerdheid of driestheid, maar terug te voeren was op ontbrekende kennis van de inhoud van de aanklacht en het manuscript, en wellicht ook op het ontbreken van elk gevoel voor strategie en tact. Dat ze wat haar verdediging betrof aanzienlijk benadeeld was. Dat ze schuldig was, maar niet zo schuldig als het leek.

Misschien zou ik de voorzitter niet overtuigen. Maar ik zou hem aanzetten tot nadenken en tot nader onderzoek. Tenslotte zou blijken dat ik gelijk had, en Hanna zou weliswaar worden bestraft, maar in mindere mate bestraft. Ze zou weliswaar naar de gevangenis moeten, maar er eerder weer uitkomen, eerder weer vrij zijn – was dat het niet waarvoor ze vocht?

Ja, ze vocht daarvoor, maar was niet van zins om voor haar succes de prijs van haar ontmaskering als analfabete te betalen. Ze zou ook niet willen dat ik haar presentatie van zichzelf zou verkwanselen voor een paar jaren gevangenis. Ze kon dat klusje heus zelf wel klaren, maar ze deed het niet, dus wilde ze het niet. Haar presentatie van zichzelf was haar de jaren in de gevangenis waard.

Maar was die het werkelijk waard? Wat leverde die leugenachtige presentatie van zichzelf, die haar in zijn greep had, verlamde, vleugellam maakte, haar op? Met de energie waarmee ze de leugen van haar leven overeind hield, had ze allang kunnen leren lezen en schrijven.

Ik probeerde in die tijd met vrienden over het probleem te praten. Stel je voor dat iemand zijn ondergang tegemoet gaat, met opzet, en je kunt hem redden – red je hem dan? Stel je een operatie voor en een patiënt die verslaafd is aan drugs die de anesthesie nadelig beïnvloeden, maar die zich schaamt dat hij drugs gebruikt en het niet tegen de anesthesist wil vertellen – praat je dan met de anesthesist? Stel je een proces voor en een verdachte die bestraft wordt als hij verzwijgt dat hij linkshandig is en daarom de daad, die met de rechterhand werd uitgevoerd, niet kan hebben begaan, maar die zich ervoor schaamt dat hij linkshandig is – zeg je dan tegen de rechter wat het probleem is? Stel je voor dat hij homo is, als homo de daad niet kan hebben begaan, maar zich ervoor schaamt dat hij homo is. Het gaat er niet om of men zich moet schamen linkshandig of homo te zijn – stel je alleen maar voor dat de verdachte zich schaamt.

12

IK BESLOOT MET mijn vader te gaan praten. Niet omdat
we zo vertrouwelijk waren met elkaar. Mijn vader was
een gesloten man, niet in staat om ons kinderen iets
mee te delen over zijn gevoelens, noch om iets met de
gevoelens te beginnen die wij voor hem koesterden.
Lange tijd vermoedde ik achter zijn onmededeelzame
aard een rijkdom aan ongedolven schatten. Maar later
vroeg ik mij af of er werkelijk wel iets achter zat. Misschien was hij als jongen en als jongeman rijk aan gevoelens geweest en had die, door ze niet naar buiten te
brengen, door de jaren heen laten verdorren en afster-
ven.

Maar juist door de afstand tussen ons zocht ik het
gesprek met hem. Ik zocht het gesprek met de filosoof
die over Kant en Hegel had geschreven, van wie ik wist
dat ze zich met morele problemen hadden beziggehouden. Hij zou ook in staat zijn om mijn probleem op een
abstracte manier te benaderen, en, anders dan mijn
vrienden, geen tijd verliezen aan de tekortkomingen
van mijn voorbeelden.

Als wij kinderen met onze vader wilden spreken,
maakte hij afspraken met ons zoals hij dat met zijn studenten deed. Hij werkte thuis en ging alleen naar de
universiteit voor zijn colleges en werkgroepen. De colle-

ga's en studenten die hem wilden spreken, kwamen bij hem aan huis. Ik herinner me de rijen studenten die in de gang tegen de muur leunden en wachtten tot ze aan de beurt waren, sommige lezend, andere voor zich uit starend, allemaal zwijgend op een verlegen groet na als wij kinderen hen groetten in het voorbijgaan. Wijzelf wachtten niet in de gang als we een afspraak hadden met onze vader. Maar ook wij klopten op het afgesproken tijdstip op de deur van zijn studeerkamer en wachtten tot we werden binnengeroepen.

Ik heb twee studeerkamers van mijn vader meegemaakt. De ramen van de eerste, waarin Hanna met haar vinger langs de boeken was gegaan, keken uit op straten en huizen. Die van de tweede keken uit over het Rijndal. Het huis dat we begin jaren zestig betrokken en waar mijn ouders zijn blijven wonen toen wij kinderen groot waren, lag boven de stad op een helling. In beide studeerkamers verruimden de ramen het vertrek niet tot de wereld buiten, maar hingen ze in de kamer als schilderijen. De studeerkamer van mijn vader was een ruimte waarin de boeken, papieren, gedachten en pijpen- en sigarettenrook een eigen, van de buitenwereld verschillende luchtdruk hadden geschapen. Deze was mij zowel vertrouwd als vreemd.

Mijn vader liet zich mijn probleem voorleggen in de abstracte versie en met de voorbeelden. 'Het heeft met het proces te maken, nietwaar?' Maar hij schudde zijn hoofd om aan te duiden dat hij geen antwoord verwachtte, mij niet nader wilde bevragen en niets van mij wilde weten wat ik niet uit mijzelf zei. Daarna zat hij, zijn hoofd terzijde gebogen, zijn handen op de armleuningen, en dacht na. Hij keek me niet aan. Ik bestudeerde hem, zijn grijze haar, zijn zoals gebruikelijk slecht geschoren wangen, de scherpe rimpels tussen zijn ogen en van de neusvleugels naar zijn mondhoeken. Ik wachtte.

Toen hij sprak, weidde hij breed uit. Hij gaf mij een college over individu, vrijheid en waardigheid, over de mens als subject en over het gegeven dat je hem niet tot object mag maken. 'Herinner je je niet meer hoe verontwaardigd je kon zijn als jongetje wanneer mama beter wist dan jij wat goed voor je was? Hoever je daarbij met kinderen kunt gaan is al een werkelijk probleem. Het is een filosofisch probleem, maar de filosofie houdt zich niet met kinderen bezig. Dat heeft ze overgelaten aan de pedagogiek, waar het voor kinderen niet goed toeven is. De filosofie heeft de kinderen vergeten,' hij schonk me een glimlach, 'voor altijd vergeten, niet maar alleen af en toe, zoals ik jullie.'

'Maar...'

'Maar bij volwassenen zie ik volstrekt geen rechtvaardiging voor de gedachte dat wat een ander als goed voor iemand beschouwt, van een hogere orde is dan wat iemand voor zichzelf als goed beschouwt.'

'Ook niet als zo iemand daarmee later zelf gelukkig is?'

Hij schudde zijn hoofd. 'We hebben het niet over geluk, maar over waardigheid en vrijheid. Als kleine jongen kende je het verschil al. Het was geen troost voor je dat mama altijd gelijk had.'

Tegenwoordig denk ik graag aan het gesprek met mijn vader terug. Ik was het vergeten, tot ik na zijn dood in het bezinksel van de herinnering naar mooie ontmoetingen, belevenissen en ervaringen met hem begon te zoeken. Toen ik het vond, bekeek ik het verwonderd en verrukt. Destijds was ik aanvankelijk verward door mijn vaders mengeling van abstractie en aanschouwelijkheid. Maar uiteindelijk trok ik uit wat hij had gezegd de conclusie dat ik niet met de rechter moest praten, dat ik helemaal niet met hem mócht praten, en was opgelucht.

Mijn vader keek me aan. 'Bevalt de filosofie je nu?'

'Nou ja, ik wist niet of je in de situatie die ik heb beschreven moet handelen, en ik was eigenlijk niet gelukkig met de voorstelling dat je dat zou moeten, en als je nu helemaal niet mag handelen – ik vind dat...' Ik wist niet wat ik moest zeggen. Een opluchting? Een geruststelling? Aangenaam? Dat klonk niet naar moraal en verantwoordelijkheid. Ik vond het goed, klonk moreel en verantwoordelijk, maar ik kon niet zeggen dat ik het goed, dat ik het meer dan alleen maar een opluchting vond.

'Aangenaam?' stelde mijn vader voor.

Ik knikte en haalde mijn schouders op.

'Nee, jouw probleem kent geen aangename oplossing. Natuurlijk moet je handelen als de door jou beschreven situatie een situatie is van verantwoordelijkheid die je is toegevallen of die je op je hebt genomen. Als je weet wat voor de ander goed is en dat hij daarvoor zijn ogen sluit, moet je proberen zijn ogen te openen. Je moet hem het laatste woord laten, maar je moet met hem praten, met hem, niet achter zijn rug om met iemand anders.'

Met Hanna praten? Wat moest ik tegen haar zeggen? Dat ik de leugen van haar leven had doorzien? Dat ze op het punt stond om haar hele leven voor die stomme leugen op te offeren? Dat de leugen het offer niet waard was? Dat ze ervoor moest vechten om niet langer dan nodig naar de gevangenis te moeten, zodat ze daarna nog veel van haar leven zou kunnen maken? Wat eigenlijk? Of het nu veel, iets of een beetje was – wat moest ze van haar leven maken? Kon ik haar bevrijden van de leugen van haar leven zonder haar een levensperspectief te bieden? Ik kende geen perspectief op lange termijn en ik wist ook niet hoe ik haar tegemoet moest treden en zeggen dat het wel in orde was dat, na datgene wat ze had gedaan, haar levensperspectief op korte en middellange termijn gevangenis zou heten. Ik wist niet hoe ik haar tegemoet moest treden om haar iets te zeggen. Ik had er geen idee van hoe ik haar tegemoet moest treden.

Ik vroeg aan mijn vader: 'En wat als je niet met hem kunt praten?'

Hij keek me aarzelend aan, en ik wist zelf dat de vraag geen betrekking had op de kwestie. Er viel niets meer te moraliseren. Ik hoefde alleen nog maar een beslissing te nemen.

'Ik heb je niet kunnen helpen.' Mijn vader stond op en ik ook. 'Nee, je hoeft niet weg te gaan, ik heb alleen last van mijn rug.' Hij stond gebogen, zijn handen op zijn nieren gedrukt. 'Ik kan niet zeggen dat het me spijt dat ik je niet kan helpen. Als filosoof, bedoel ik, in de hoedanigheid waarin je me hebt aangesproken. Als vader vind ik het bijna onverdraaglijk om te ervaren dat ik mijn kinderen niet kan helpen.'

Ik wachtte, maar hij sprak niet verder. Ik vond dat hij zich ervan afmaakte; ik wist wanneer hij zich meer om ons had kunnen bekommeren en hoe hij ons beter had kunnen helpen. Toen dacht ik dat hij het misschien zelf wist en er werkelijk onder gebukt ging. Maar noch het een noch het ander kon ik tegen hem zeggen. Ik werd verlegen en had het gevoel dat hij ook verlegen was.

'Goed dan...'

'Je kunt altijd bij me aankloppen.' Mijn vader keek me aan.

Ik geloofde hem niet en knikte.

13

IN JUNI VLOOG de rechtbank voor twee weken naar Israël. Het verhoor ter plaatse was een kwestie van een paar dagen. Maar rechters en openbare aanklagers combineerden de justitiële onderneming met een toeristische: Jeruzalem en Tel Aviv, de Negev en de Rode Zee. Dat was ongetwijfeld geheel volgens de regels betreffende dienstuitoefening, vakantiebesteding en onkostenvergoeding. Toch vond ik het absurd.

Ik was van plan geweest die twee weken helemaal aan mijn studie te wijden. Maar het liep anders dan ik me had voorgesteld en voorgenomen. Ik kon me niet concentreren op het leren, niet op de professoren en niet op de boeken. Steeds weer dwaalden mijn gedachten af en gingen teloor in beelden.

Ik zag Hanna bij de brandende kerk, met een hard gezicht, een zwart uniform en een rijzweep. Met de rijzweep tekent ze cirkels in de sneeuw en slaat ze tegen de schacht van haar laars. Ik zag haar hoe ze zich laat voorlezen. Ze luistert aandachtig, stelt geen vragen en maakt geen opmerkingen. Als het uur voorbij is, deelt ze haar voorlezeres mee dat ze morgen op transport naar Auschwitz gaat. De voorlezeres, een tenger schepseltje met zwarte haarstoppels en bijziende ogen, begint te huilen. Hanna geeft met haar hand een klap tegen de muur, twee vrouwen komen binnen, ook zij gevangenen in gestreepte kledij, en werken de voorlezeres naar buiten. Ik zag Hanna over de paden in het kamp lopen en barakken binnengaan en toezicht houden op de bouwwerkzaamheden. Ze doet alles met hetzelfde harde gezicht, met koude ogen en een smalle mond, en de gevangenen krimpen ineen, buigen zich over het werk, drukken zich tegen de muur, in de muur, willen in de muur verdwijnen. Soms zijn er veel gevangenen komen opdagen, of ze lopen alle kanten op of vormen rijen of marcheren, en Hanna staat erbij en schreeuwt commando's, haar schreeuwende gezicht een lelijke tronie, en ze doet er met de rijzweep nog een schepje bovenop. Ik zag de kerktoren neerstorten op het kerkdak en de vonken opspatten en hoorde de wanhoop van de vrouwen. Ik zag de uitgebrande kerk de volgende ochtend.

Naast deze beelden zag ik de andere. Hanna die in de keuken haar kousen aantrekt, die voor het bad staat en de handdoek ophoudt, die met wapperende rok op de fiets zit, die in de studeerkamer van mijn vader staat, die voor de spiegel danst, die in het zwembad naar mij staat te kijken, Hanna die naar mij luistert, die met me praat, die tegen me lacht, die mij bemint. Erg was het wanneer de beelden door elkaar raakten. Hanna die mij met koude ogen en smalle mond bemint, die bij het voorlezen woordeloos naar mij luistert en aan het eind met haar hand tegen de muur slaat, die tegen me praat en wier gezicht een tronie wordt. Het ergst waren de dromen waarin de harde, heerszuchtige, wrede Hanna me seksueel opwond en waaruit ik vol verlangen, schaamte en verontwaardiging ontwaakte. En vol angst, voor wie ik eigenlijk was.

Ik wist dat de gefantaseerde beelden armzalige clichés waren. Ze deden geen recht aan de Hanna die ik had beleefd en beleefde. Desondanks waren ze erg sterk.

Ze onttakelden de herinnerde beelden van Hanna en gingen een verbintenis aan met de beelden van het kamp die ik in mijn hoofd had.

Als ik nu terugdenk aan de jaren van toen valt me op hoe weinig aanschouwelijks er was, hoe weinig beelden er bestonden die het leven en het moorden in de kampen weergaven. We kenden van Auschwitz de poort met het opschrift, de opeengestapelde houten britsen, de hopen haar en brillen en koffers, van Birkenau de toegangspoort met toren, zijvleugels en doorgang voor de treinen, en uit Bergen-Belsen de bergen lijken die de geallieerden bij de bevrijding hadden aangetroffen en gefotografeerd. We kenden enkele ooggetuigenverslagen van gevangenen, maar veel verslagen zijn meteen na de oorlog verschenen en daarna pas in de jaren tachtig opnieuw uitgegeven, en in de tussenliggende periode maakten ze geen deel uit van het beleid van de uitgeverijen. Vandaag de dag bestaan er zoveel boeken en films dat de wereld van de kampen deel uitmaakt van de collectief voorgestelde wereld, die de collectief werkelijke completeert. De verbeelding weet er de weg, en sinds de televisieserie *Holocaust* en de speelfilms *Sophies Choice* en vooral *Schindler's List* beweegt de verbeelding zich ook in die wereld, registreert niet alleen, maar vult aan en versiert. Destijds bewoog de verbeelding zich nauwelijks; ze was ervan overtuigd dat de beweging van de verbeelding niet paste bij de ontzetting die ze de wereld van de kampen verschuldigd was. De weinige beelden, die ze te danken had aan de geallieerde fotografen en de verslagen van gevangenen, bekeek ze steeds opnieuw, tot die tot clichés verstarden.

14

IK BESLOOT op reis te gaan. Als ik van de ene dag op de andere naar Auschwitz had kunnen gaan, had ik het gedaan. Maar het duurde weken om een visum te krijgen. Daarom ben ik naar de Struthof in de Elzas gereisd. Het was het dichtstbijzijnde concentratiekamp. Ik had nog nooit een kamp gezien. Ik wilde de clichés met de werkelijkheid uitdrijven.

Ik ben erheen gelift en herinner me een rit in een vrachtwagen waarvan de chauffeur de ene bierfles na de andere leegzoop, en een Mercedesbestuurder die met witte handschoenen aan chauffeerde. Voorbij Straatsburg had ik geluk; de auto reed naar Schirmeck, een kleine stad niet ver van de Struthof.

Toen ik tegen de chauffeur zei waar ik precies heen wilde, zweeg hij. Ik wierp een blik opzij, maar kon in zijn gezicht niet lezen waarom hij midden in een levendige conversatie plotseling was stilgevallen. Hij was van middelbare leeftijd, had een mager gezicht, een donker-rode moedervlek of een brandmerk aan zijn rechter slaap en glad achterover gekamd zwart haar met een correcte scheiding. Hij keek geconcentreerd naar de weg.

Voor ons waren de uitlopers van de Vogezen. We reden door de wijnbergen een zich wijd openend, langzaam stijgend dal binnen. Links en rechts bedekte gemengd bos de hellingen, af en toe zagen we een steen-groeve, een bakstenen fabriek met een harmonicadak, een oud sanatorium, een grote villa met een heleboel torentjes tussen hoge bomen. De ene keer links, de andere keer rechts werden we begeleid door een spoorlijn.

Toen begon hij weer te praten. Hij vroeg me waarom ik naar de Struthof wilde en ik vertelde over het proces en over mijn gebrek aan aanschouwelijke voorstellingen.

'Zo, dus je probeert te begrijpen waarom mensen zulke verschrikkelijke dingen konden doen.' Hij klonk een beetje ironisch. Maar misschien was het ook alleen maar zijn door dialect gekleurde stem en taal. Voordat ik kon antwoorden, sprak hij verder. 'Wat wil je eigenlijk begrijpen? Begrijp je dat mensen uit hartstocht moor-den, uit liefde of haat of uit eergevoel of wraak?'

Ik knikte.

'Je begrijpt ook dat mensen moorden om rijk te wor-den of machtig? Dat mensen in de oorlog moorden of bij een revolutie?'

Ik knikte opnieuw. 'Maar...'

'Maar degenen die in de kampen werden vermoord hadden degenen door wie ze werden vermoord niets gedaan? Wil je dat beweren? Wil je beweren dat er geen reden voor haat was en geen oorlog?'

Ik wilde niet weer knikken. Wat hij zei klopte, maar niet de manier waarop hij het zei.

'Je hebt gelijk, er was geen oorlog en geen reden tot haat. Maar ook de beul haat degene die hij terecht moet stellen niet en stelt hem toch terecht. Omdat het hem werd bevolen? Je denkt dat hij het doet omdat het hem werd bevolen? En je denkt dat ik het nu heb over bevel en gehoorzaamheid en over het feit dat de bewakers in de kampen bevelen kregen en dat ze moesten gehoorza-men?' Hij lachte honend. 'Nee, ik heb het niet over bevel en gehoorzaamheid. De beul volgt geen bevelen op. Hij doet zijn werk, haat degenen die hij terechtstelt niet. Wreekt zich niet op hen, brengt hen niet om het leven omdat ze hem in de weg staan of bedreigen of aanvallen. Ze laten hem volmaakt onverschillig. Ze laten hem zo onverschillig dat hij ze evengoed wel of niet kan doden.'

Hij keek me aan. 'Geen "maar"? Kom op, zeg dan dat de ene mens de ander niet zo onverschillig mag zijn. Heb je dat niet geleerd? Solidariteit met alles wat een menselijk gelaat heeft. Waardigheid van de mens? Eerbied voor het leven?'

Ik was kwaad en hulpeloos. Ik zocht naar een woord, een zin die dat wat hij had gezegd kon uitwissen en hem sprakeloos zou maken.

'Ik heb een keer,' ging hij verder, 'een foto gezien van het doodschieten van joden in Rusland. De joden wachten naakt in een lange rij, een paar staan aan de rand van een groeve, en achter hen staan soldaten met geweren en schieten ze in de nek. Dat gebeurt bij een steengroeve, en boven de joden en de soldaten, op een richel in de wand, zit een officier, laat zijn benen bungelen en rookt een sigaret. Hij kijkt een beetje ontstemd. Misschien gaat het hem niet snel genoeg. Maar hij heeft ook iets tevredens, zelfs iets opgewekts in zijn gezicht, misschien omdat de werkdag er spoedig op zit en hij vrij is. Hij haat de joden niet. Hij is niet...'

'Was u dat? Zat u zelf op die richel en...?'

Hij stopte. Hij was spierwit en het litteken op zijn slaap liep rood aan. 'Eruit!'

Ik stapte uit. Hij maakte een manoeuvre waardoor ik een sprong opzij moest maken. Ik hoorde hem nog in de volgende bochten. Toen was het stil.

Ik volgde de weg omhoog. Geen auto haalde me in, of kwam me tegemoet. Ik hoorde vogels, de wind in de bomen, soms het ruisen van een beek. Ik herademde. Na een kwartier had ik het concentratiekamp bereikt.

15

IK BEN ER onlangs nog eens heengereden. Het was winter, een heldere, koude dag. Achter Schirmeck lag het bos in de sneeuw, wit bepoederde bomen en wit bedekte grond. Het terrein van het concentratiekamp, een langwerpig areaal op een aflopend bergterras met een weids uitzicht over de Vogezen, lag wit in de stralende zon. Het grijsblauw geverfde hout van de twee tot drie verdiepingen hoge wachttorens en de lage barakken contrasteerde vriendelijk met de sneeuw. Zeker, er was de met ijzergaas afgezette poort met het bord 'Concentratiekamp Struthof-Natzweiler' en de om het kamp heen lopende dubbele prikkeldraadomheining. Maar de grond tussen de overgebleven barakken, waarop oorspronkelijk nog meer barakken dicht tegen elkaar aan gebouwd stonden, liet onder de glinsterende sneeuwdeken niets meer van het kamp zien. Het had een helling kunnen zijn waarop kinderen sleetje rijden die in de vriendelijke barakken met de gezellige ruitjes de wintervakantie doorbrengen en straks binnengeroepen worden voor warme chocolademelk met koek.

Het kamp was gesloten. Ik stapte er daarom door de sneeuw omheen en kreeg natte voeten. Ik kon het hele terrein goed overzien en herinnerde me hoe ik er destijds, bij mijn eerste bezoek, via treden die tussen de fundamenten van de afgebroken barakken naar beneden leidden, dwars doorheen was gelopen. Ik herinnerde me ook de verbrandingsovens die destijds in een van de barakken te zien waren, en ook dat zich in een andere barak cellen bevonden. Ik herinner me mijn destijds vergeefse poging om me een vol kamp en gevangenen en bewakers en het leed concreet voor te stellen. Ik probeerde het werkelijk, keek naar een barak, deed mijn ogen dicht en rangschikte de ene barak naast de andere. Ik mat een barak op, berekende met behulp van de prospectus het aantal bewoners en stelde me voor hoe benard het was geweest. Ik begreep dat de traptreden tussen de barakken tegelijkertijd dienst hadden gedaan als appèlplaats, en van het ene naar het andere einde kijkend vulde ik ze met rijen ruggen. Maar het was allemaal tevergeefs en ik had het gevoel op een schamele en beschamende manier tekort te schieten. Toen ik terug naar huis reed, vond ik verder naar beneden op de berghelling een klein, tegenover een restaurant gelegen huis dat volgens een bordje een gaskamer was geweest. Het was wit geschilderd, had in zandstenen sponningen gevatte deuren en ramen en zou een schuur of een loods kunnen zijn of een onderkomen voor dienstbodes. Ook dit huis was gesloten, en ik herinner me niet dat ik er destijds binnen was geweest. Ik ben niet uitgestapt. Ik zat een poosje met stationair lopende motor in mijn auto en keek. Toen reed ik door.

Aanvankelijk schroomde ik op de terugweg door de dorpen van de Elzas te toeren en een restaurant voor de lunch te zoeken. Maar die schroom moest niet worden toegeschreven aan een echt gevoel, maar aan de overweging hoe je je na het bezoek aan een concentratiekamp diende te voelen. Ik merkte het zelf, haalde mijn schouders op en vond in een dorp op een berghelling van de Vogezen het restaurant Au Petit Garçon. Vanaf mijn tafel keek ik uit over de vlakte. 'Jochie' had Hanna me genoemd.

Bij mijn eerste bezoek heb ik rondgelopen op het terrein van het concentratiekamp tot het werd gesloten. Daarna ben ik onder het monument gaan zitten dat boven het kamp staat en heb ik neergekeken op het terrein. In mij voelde ik een grote leegte, alsof ik niet daarbuiten naar aanschouwelijkheid had gezocht maar in mijzelf, en had moeten vaststellen dat er in mij niets te vinden is.

Toen werd het donker. Ik moest een uur wachten tot een kleine open vrachtwagen me op de laadbak liet klimmen en me meenam naar het volgende dorp, en ik zag ervan af om nog dezelfde dag terug te liften. Ik vond een goedkope kamer in een dorpshotelletje en at in het café een dunne biefstuk met patat frites en erwtjes.

Aan de tafel naast mij waren vier mannen luidruchtig aan het kaarten. De deur ging open en zonder te groeten kwam er een kleine oude man binnen. Hij droeg een korte broek en had een houten been. Aan de tap bestelde hij een bier. De tafel naast me keerde hij zijn rug en zijn veel te grote kale achterhoofd toe. De kaarters legden hun kaarten neer, graaiden in de asbakken, pakten de peuken, mikten en raakten. De man aan de tapkast wapperde met zijn handen en schudde zijn achterhoofd, alsof hij vliegen wilde verjagen. De waard zette het glas bier voor hem neer. Niemand zei iets.

Ik hield het niet meer uit, sprong op en stapte op het tafeltje naast me toe. 'Hou daarmee op!' Ik stond te trillen van woede. Op dat moment kwam de man met dansende sprongen aangehompeld, friemelde aan zijn been, had het houten been plotseling in beide handen, sloeg er met een enorme klap mee op de tafel, zodat de glazen en asbakken dansten, en liet zich op de onbezette stoel vallen. Daarbij lachte hij met een tandeloze mond een piepend lachje en de anderen lachten mee, een bulderend biergelach. 'Hou daarmee op,' lachten ze en wezen naar mij, 'hou daarmee op.'

Die nacht stormde de wind rond het huis. Ik had het niet koud, en het huilen van de wind, het kraken van de boom voor het raam en het herhaaldelijke slaan van een luik was niet zo luid dat ik om die reden niet had kunnen slapen. Maar ik werd innerlijk steeds onrustiger, tot ik tenslotte over mijn hele lichaam trilde. Ik was bang, niet alsof ik een ernstige gebeurtenis verwachtte, maar als lichamelijke gesteldheid. Ik lag daar, luisterde naar de wind, was opgelucht als die zwakker en zachter werd, vreesde het hernieuwde aanzwellen en wist niet hoe ik de volgende ochtend zou moeten opstaan, naar huis liften, mijn studie afmaken en op zekere dag een beroep en vrouw en kinderen zou hebben.

Ik wilde Hanna's misdaad tegelijkertijd begrijpen en veroordelen. Maar daarvoor was die te verschrikkelijk. Als ik probeerde haar te begrijpen, had ik het gevoel haar niet meer zo te veroordelen als ze eigenlijk moest worden veroordeeld. Als ik haar zo veroordeelde als ze moest worden veroordeeld, bleef er geen ruimte over om haar te begrijpen. Maar tegelijkertijd wilde ik Hanna begrijpen; haar niet begrijpen betekende haar opnieuw verraden. Ik ben daarmee niet in het reine gekomen. Tegenover beide wilde ik verantwoording afleggen: het begrijpen en het veroordelen. Maar allebei ging niet.

De volgende dag was opnieuw een schitterende zomerdag. Het liften ging makkelijk en ik was binnen een paar uur weer thuis. Ik liep door de stad alsof ik lang was weggeweest; de straten en huizen en mensen waren me vreemd. Maar de vreemde wereld van de concentratiekampen was mij daarom nog niet nader gekomen. Mijn indrukken van de Struthof voegden zich bij de weinige beelden van Auschwitz en Birkenau en Bergen-Belsen die ik al had, en verstarden met hen.

16

IK BEN TOEN toch nog naar de voorzitter van de rechtbank gegaan. Naar Hanna gaan bracht ik niet op. Maar niets doen hield ik ook niet uit.

Waarom ik het niet opbracht om met Hanna te praten? Ze had me verlaten, had me misleid, was niet degene geweest die ik in haar had gezien of die ik in mijn fantasie van haar had gemaakt. En wie was ik voor haar geweest? De kleine voorlezer van wie ze gebruikmaakte, de kleine bedgenoot met wie ze haar pleziertjes beleefde? Had ze me ook naar de gaskamer gestuurd als ze me niet had kunnen verlaten maar wel van me af had gewild?

Waarom ik het niet uithield om niets te doen? Ik zei tegen mijzelf dat ik een onjuist vonnis moest voorkomen. Ik moest ervoor zorgen dat gerechtigheid geschiedde, ongeacht Hanna's kardinale leugen, gerechtigheid vóór en tégen Hanna zogezegd. Maar het ging me niet werkelijk om gerechtigheid. Ik kon Hanna niet laten zoals ze was of wilde zijn. Ik kon mijn handen niet van haar afhouden, moest op de een of andere manier mijn invloed op haar doen gelden, zo niet direct dan wel indirect.

De voorzitter van de rechtbank kende onze werkgroep en was graag bereid om mij na een zitting te ontvangen voor een gesprek. Ik klopte aan, werd binnengeroepen en mij werd gevraagd plaats te nemen op een stoel voor het bureau. Hij zat in zijn overhemd achter het bureau. Zijn toga hing over de rug- en zijleuningen van zijn stoel; hij was met de toga aan gaan zitten en had die toen van zich af laten glijden. Hij maakte een ontspannen indruk, een man die het werk van die dag erop heeft zitten en een voldaan gevoel heeft. Zonder de geïrriteerde gelaatsuitdrukking waarachter hij zich tijdens de zitting verschanst, had hij een aardig, intelligent, onschuldig ambtenarengezicht. Hij babbelde erop los en vroeg me het een en ander. Wat onze werkgroep van het proces vond, wat onze professor van plan was met de verslagen, van welk studiejaar we waren, hoeveelstejaars ik was, waarom ik rechten studeerde en wanneer ik mijn studie dacht te voltooien. Ik moest me vooral niet te laat voor het doctoraalexamen aanmelden.

Ik beantwoordde alle vragen. Daarna luisterde ik naar wat hij over zijn eigen studie en zijn afstuderen vertelde. Hij had alles op de juiste manier gedaan. Hij had op het juiste tijdstip en met behoorlijk succes de noodzakelijke werk- en hoorcolleges gevolgd en ten slotte de tentamens afgelegd. Hij was met liefde jurist en rechter en als hij datgene wat hij had gedaan nog eens zou moeten overdoen, dan zou hij het precies zo doen.

Het raam stond open. Op de parkeerplaats werden deuren dichtgeslagen en motoren gestart. Ik luisterde naar de wegrijdende auto's tot hun geluid werd opgeslokt door het ruisende verkeer. Toen speelden en riepen er kinderen op de lege parkeerplaats. Soms was er een woord heel duidelijk te verstaan: een naam, een scheldwoord, een kreet.

De voorzitter van de rechtbank stond op en gaf mij een hand tot afscheid. Ik kon gerust nog eens terugkomen als ik nog meer vragen had. Ook als ik advies nodig had bij mijn studie. En onze werkgroep moest hem vooral op de hoogte brengen van de resultaten van het onderzoek naar het proces.

Ik liep over de lege parkeerplaats. Door een opgeschoten jongen liet ik me de weg naar het station wijzen. Ons groepje was meteen na de zitting naar huis gereden en ik moest de trein nemen. Het was een boemeltreintje met forensen die het werk erop hadden zitten; het stopte bij elke halte, mensen stapten in en uit, ik zat bij het raam, omringd door steeds andere medepassagiers, gesprekken en luchtjes. Buiten trokken huizen voorbij, wegen, auto's, bomen en in de verte de bergen, burchten en steengroeves. Ik nam alles waar en voelde niets. Ik was niet meer gekwetst dat ik door Hanna verlaten, misleid en gebruikt was. Ik kon eindelijk ook mijn handen thuis houden. Ik voelde hoe de verdoving waarmee ik de verschrikkingen van het proces had gevolgd, zich over de gevoelens en gedachten van de laatste weken legde. Dat ik daar blij mee was, is te veel gezegd. Maar ik voelde dat het zo in orde was. Dat het me in staat stelde om terug te keren naar mijn dagelijkse leven en daarin de draad weer op te pakken.

17

EIND JUNI WAS de uitspraak. Hanna kreeg levenslang. De anderen kregen een vrijheidsstraf van verscheidene jaren.

De rechtszaal was even vol als aan het begin van het proces. Personeel van de rechtbank, studenten van mijn universiteit en van de plaatselijke universiteit, een schoolklas, journalisten uit binnen- en buitenland en de gebruikelijke rechtbankjournalisten. Het was rumoerig. Toen de verdachten werden binnengeleid, lette eerst niemand op ze. Maar toen verstomden de bezoekers. Eerst werden de mensen stil die voorin vlak bij de verdachten zaten. Ze stootten hun buren aan en draaiden zich om naar degenen die achter hen zaten. 'Moet je toch eens kijken,' fluisterden ze, en degenen die keken vielen ook stil, stootten hun buren aan, draaiden zich om naar de rijen achter hen en fluisterden 'moet je toch eens kijken'. En ten slotte was het heel stil in de rechtszaal.

Ik weet niet of Hanna wist hoe ze eruitzag, of ze er zelfs wel zo uit wilde zien. Ze droeg een zwart mantelpak en een witte bloes, en de snit van het mantelpak en de stropdas bij de bloes lieten haar eruitzien alsof ze een uniform droeg. Ik heb het uniform van de vrouwen die voor de ss werkten nooit gezien. Maar ik had de indruk, zoals alle bezoekers, precies dat nu te zien, dát uniform, gedragen door de vrouw die voor de ss werkte en die alles deed waarvan Hanna was beschuldigd.

De bezoekers begonnen weer te fluisteren. Het was te horen dat velen verontwaardigd waren. Ze vonden dat het proces, het vonnis en ook degenen die gekomen waren om het vonnis aan te horen, door Hanna voor gek werden gezet. Ze werden rumoeriger en een enkeling riep Hanna toe wat hij van haar dacht. Tot de rechtbank de zaal betrad en de voorzitter na een geïrriteerde blik op Hanna het vonnis uitsprak. Hanna hoorde het staande aan, in een rechte houding en zonder de geringste beweging. Bij het voorlezen van de motivatie van het vonnis zat ze. Ik wendde mijn blik niet af van haar hoofd en haar nek.

Het voorlezen nam verscheidene uren in beslag. Toen de zitting was beëindigd en de verdachten werden weggeleid, wachtte ik of Hanna naar mij zou kijken. Maar ze keek recht voor zich uit en dwars door alles heen. Een hoogmoedige, gekwetste, verwezen en oneindig vermoeide blik. Een blik die niemand en niets wil zien.

DEEL DRIE

I

DE ZOMER NA het proces bracht ik door in de studiezaal van de universiteitsbibliotheek. Ik kwam als de studiezaal werd geopend en ging weg als die sloot. In het weekend werkte ik thuis. Ik was zo bezeten en monomaan bezig met studeren dat de gevoelens en gedachten die door het proces waren verdoofd, verdoofd bleven. Ik ging contacten uit de weg. Ik verliet mijn ouderlijk huis en huurde een kamer. De paar kennissen die mij aanspraken in de studiezaal, of als ik af en toe naar de bioscoop ging, draaide ik mijn rug toe.

Tijdens de wintermaanden gedroeg ik me niet veel anders. Niettemin werd me gevraagd samen met een groep studenten de kerstdagen door te brengen in een skihut. Verwonderd nam ik de uitnodiging aan.

Ik was geen goede skiër. Maar ik hield van skiën en was snel en kon de goede skiërs bijhouden. Soms riskeerde ik bij afdalingen die eigenlijk te moeilijk voor me waren een valpartij en gebroken botten. Dat deed ik met opzet. Van het andere risico dat ik nam en dat me uiteindelijk ook fataal werd, was ik me niet bewust.

Ik had het nooit koud. Terwijl de anderen truien en skijacks droegen, skiede ik in mijn overhemd. De anderen reageerden daar hoofdschuddend op, plaagden me ermee. Maar ook hun bezorgde waarschuwingen sloeg ik in de wind. Ik had het domweg niet koud. Toen ik begon te hoesten, weet ik het aan de Oostenrijkse sigaretten. Toen ik koorts begon te krijgen, genoot ik van mijn toestand. Ik voelde me zwak en tegelijkertijd licht, en mijn zintuiglijke indrukken waren weldadig gedempt, wattig, opgeblazen. Ik zweefde.

Uiteindelijk kreeg ik hoge koorts en werd naar een ziekenhuis gebracht. Toen ik er weer uit kwam, was de verdoving voorbij. Alle vragen, angsten, aanklachten en zelfverwijten, alle ontzetting en alle pijn die tijdens het proces waren opgeroepen en meteen weer waren verdoofd, waren er weer en bleven ook. Ik weet niet welke diagnose doktoren stellen wanneer iemand het niet koud heeft terwijl hij het wel koud zou moeten hebben. Mijn eigen diagnose is dat de verdoving zich lichamelijk van mij meester had moeten maken voordat ze me kon loslaten, voordat ik de verdoving kon loslaten.

Toen ik mijn kandidaats had gedaan en aan een stage was begonnen, brak de zomer van de studentenbeweging aan. Ik interesseerde me voor geschiedenis en sociologie en had als stagiair nog genoeg met de universiteit te maken om de ontwikkelingen te kunnen volgen. De ontwikkelingen volgen betekende niet hetzelfde als meedoen – universiteit en reorganisatie van de universiteit konden me uiteindelijk even weinig schelen als de Vietcong en de Amerikanen. Wat het derde en eigenlijke thema van de studentenbeweging betrof, de discussie over en de confrontatie met het nationaal-socialistische verleden, voelde ik zo'n grote afstand tot de andere studenten dat ik niet met hen samen actie wilde voeren en demonstreren.

Soms denk ik dat die discussie en die confrontatie met het nationaal-socialistische verleden niet de basis, maar alleen de uitdrukkingsvorm was van het generatieconflict dat als stuwende kracht van de studentenbeweging voelbaar was. De verwachtingen van de ouders, waarvan elke generatie zich moet bevrijden, konden alleen al daarom terzijde worden geschoven omdat die ouders in het Derde Rijk of op z'n laatst na het einde daarvan, schromelijk tekort waren geschoten. Hoe zouden degenen die de nationaal-socialistische misdaden hadden begaan of erbij hadden staan kijken of de andere kant hadden opgekeken, of die na 1945 de misdadigers in hun midden hadden getolereerd of zelfs geaccepteerd, hun kinderen iets te zeggen kunnen hebben. Maar anderzijds was het nationaal-socialistische verleden ook een thema voor kinderen die hun ouders niets wilden of konden verwijten. Voor hen was de discussie over het nationaal-socialistische verleden niet de uiterlijke vorm van het generatieconflict, maar het eigenlijke probleem.

Wat er moreel en juridisch klopt of niet klopt van de collectieve schuld – voor mijn studentengeneratie behoorde deze tot hun dagelijkse werkelijkheid. Collectieve schuld had niet alleen te maken met wat er in het Derde Rijk was gebeurd. Dat er joodse grafstenen met hakenkruizen werden beschilderd, dat zoveel oud-nazi's bij de rechterlijke macht, de overheid en de universiteiten carrière hadden gemaakt, dat de Bondsrepubliek de staat Israël niet erkende, dat de overlevering minder gewag maakte van emigratie en verzet dan van het aangepaste leven – dat alles vervulde ons met schaamte, zelfs als we de schuldigen konden aanwijzen. Het aanwijzen van de schuldigen bevrijdde niet van de schaamte. Maar het overwon het lijden daaraan. Het zette het passieve lijden aan de schaamte om in energie, activiteit, agressie. En vooral de confrontatie met schuldige ouders was geladen met energie.

Ik kon niemand aanwijzen als schuldige. Mijn ouders al helemaal niet, omdat ik hen niets te verwijten had. De missionaire ijver waarmee ik destijds als deelnemer aan het werkcollege over de concentratiekampen mijn vader had veroordeeld tot schaamte, was ik kwijtgeraakt, ik was me ervoor gaan schamen. Maar wat anderen uit mijn sociale omgeving hadden gedaan en waaraan ze zich hadden schuldig gemaakt, was allemaal veel minder erg dan wat Hanna had gedaan. Ik moest eigenlijk Hanna als schuldige aanwijzen. Maar de vinger die naar Hanna wees, wees terug naar mijzelf. Ik had van haar gehouden. Ik had niet alleen van haar gehouden, ik had haar gekozen. Ik probeerde tegen mijzelf te zeggen dat ik, toen ik Hanna koos, niets afwist van wat ze had gedaan. Ik probeerde mijzelf daarmee de toestand van onschuld aan te praten waarmee kinderen van hun ouders houden. Maar de liefde tot de ouders is de enige liefde waarvoor je niet verantwoordelijk bent.

En misschien ben je zelfs verantwoordelijk voor de liefde tot je ouders. Destijds benijdde ik de andere studenten die zich tegen hun ouders afzetten, en daarmee tegen de hele generatie van daders, toe- en wegkijkers, tolereerders en accepteerders, en die daardoor weliswaar misschien niet hun schaamte, maar dan toch zeker hun lijden aan de schaamte overwonnen. Maar waar kwam de triomfantelijke zelfingenomenheid vandaan die je zo vaak bij hen aantrof? Hoe kun je schuld en schaamte voelen en tegelijkertijd zo triomfantelijk overtuigd zijn van jezelf? Was het afzetten tegen de ouders alleen maar retoriek, gedruis, lawaai, om te overschreeuwen dat de liefde voor de ouders onherroepelijk de verstrikking in hun schuld met zich meebracht?

Dat zijn latere gedachten. Ook later boden ze geen troost. Hoe kon het een troost zijn dat mijn lijden aan mijn liefde voor Hanna in zekere zin het lot was van mijn generatie, dat het het Duitse lot was waaraan ik me alleen maar minder kon onttrekken, waarvan ik mij alleen maar minder kon losmaken dan de anderen. Toch had het me destijds goed gedaan als ik me verbonden had kunnen voelen met mijn generatie.

2

IK WAS NOG niet afgestudeerd toen ik trouwde. Gertrud
en ik hadden elkaar in de skihut leren kennen en toen
de anderen aan het einde van de vakantie weer naar
huis gingen, bleef ze nog tot ik uit het ziekenhuis werd
ontslagen en ze me mee kon nemen. Ook zij studeerde
rechten; we studeerden samen, slaagden samen voor
het kandidaats en liepen beiden stage bij een overheids-
instantie. We trouwden toen Gertrud in verwachting was.

Ik heb haar niets over Hanna verteld. Wie wil, dacht
ik, van de vroegere relaties van de partner weten als die
voor hem niet de vervulling van het leven is? Gertrud
was intelligent, flink en loyaal, en als ons leven had
bestaan uit het leidinggeven aan een boerenbedrijf met
veel knechts en dienstmeiden, veel kinderen, veel werk
en zonder tijd voor elkaar, dan zou het vervuld en gelukkig zijn geworden. Maar ons leven bestond uit een drie-
kamerwoning in een flatgebouw in een buitenwijk, uit
onze dochter Julia en uit het werk van Gertrud en mij
bij de lokale overheid. Het is me nooit gelukt om het
samenzijn met Gertrud niet te vergelijken met het
samenzijn met Hanna, en steeds weer lagen Gertrud en
ik in elkaars armen en had ik het gevoel dat er iets niet
klopte, dat er iets niet klopte met haar, dat ze, als ik haar
aanraakte, verkeerd aanvoelde, dat ze verkeerd rook en

smaakte. Ik dacht dat het wel over zou gaan. Ik hoopte dat het over zou gaan. Ik wilde vrij zijn van Hanna. Maar het gevoel dat het niet klopte, ben ik nooit kwijtgeraakt.

Toen Julia vijf was zijn we gescheiden. We konden allebei niet meer en zijn zonder bitterheid uit elkaar gegaan en loyaal met elkaar verbonden gebleven. Het heeft me dwarsgezeten dat we Julia niet de geborgenheid konden geven waar ze onmiskenbaar behoefte aan had. Als Gertrud en ik vertrouwd en met genegenheid met elkaar omgingen, voelde Julia zich daarbij als een vis in het water. Ze was in haar element. Als ze voelde dat er spanningen waren tussen ons, dan liep ze van de een naar de ander en verzekerde ons dat we lief waren en dat ze ons lief vond. Ze wilde een broertje en had waarschijnlijk heel graag nog meer broertjes en zusjes willen hebben. Ze begreep heel lang niet wat scheiding betekende en wilde, als ik op bezoek kwam, dat ik bleef, en als ze bij mij op bezoek kwam, dat Gertrud meekwam. Als ik wegging en zij uit het raam keek en ik onder haar verdrietige blik in mijn auto stapte, brak dat mijn hart. En ik had het gevoel dat wij haar iets onthielden waarnaar ze niet alleen hunkerde, maar waarop ze recht had. We hebben haar haar recht ontfutseld door te scheiden, en dat we dat gezamenlijk deden, heeft onze schuld niet gehalveerd.

Mijn latere relaties heb ik geprobeerd op een betere manier te benaderen en aan te gaan. Ik heb tegenover mijzelf toegegeven dat een vrouw mij een beetje als Hanna moet behandelen en dat ze als Hanna moet aanvoelen en een beetje als haar moet ruiken en smaken, wil ons samenzijn kloppen. En ik heb over Hanna verteld. Ik heb de andere vrouwen ook meer over mijzelf verteld dan ik Gertrud had verteld; ze moesten een beetje uit de voeten kunnen met wat ze aan mijn gedrag en mijn stemmingen wellicht vreemd zouden vinden. Maar veel wilden de vrouwen niet weten. Ik herinner me Helen, een Amerikaanse literatuurwetenschapster, die woordeloos kalmerend over mijn rug streelde toen ik vertelde, en even woordeloos kalmerend doorging met strelen toen ik ophield met vertellen. Gesina, een psychoanalytica, vond dat ik aan de relatie met mijn moeder moest werken. Viel het me niet op dat mijn moeder in mijn verhaal nauwelijks voorkwam? Hilke, een tandarts, vroeg aldoornaar de tijd van voordat we met onze relatie waren begonnen, maar vergat al snel wat ik haar vertelde. Dus liet ik het vertellen er maar weer bij zitten. Omdat de waarheid van wat je vertelt datgene is wat je doet, kun je het spreken ook laten.

3

TOEN IK BEZIG was met mijn laatste tentamens, stierf de professor die het werkcollege over de concentratiekampen had geleid. Gertrud kwam in de krant de overlijdensadvertentie tegen. De begrafenis was op de Bergfriedhof. Of ik er niet heen wilde?

Ik wilde niet. De begrafenis was op een donderdagmiddag, en op donderdag- en vrijdagochtend moest ik belangrijke tentamens afleggen. Ook hadden de professor en ik geen bijzonder nauwe betrekkingen onderhouden. En ik hield niet van begrafenissen. En ik had geen zin om aan het proces te worden herinnerd.

Maar het was al te laat. De herinnering was gewekt, en toen ik die donderdag uit de tentamenzaal kwam, had ik een gevoel alsof ik een afspraak had met het verleden die ik niet mocht verzuimen.

Ik heb, wat ik anders nooit deed, de tram genomen. Alleen dat al was een confrontatie met het verleden, zoals het terugkeren naar een plek die je vertrouwd was en die zijn gezicht heeft veranderd. Toen Hanna bij de tram werkte, had je tramstellen met twee of drie wagens met vóór- en achterbalkons, treeplanken langs de balkons waar je nog op kon springen als de tram zich al in beweging had gezet, en een door de tram lopend snoer waarmee de bestuurder bellend het signaal gaf tot vertrek. In de zomer reden er tramstellen met open balkons. De conducteur verkocht, knipte en controleerde de kaartjes, riep de namen van de haltes, gaf het sein tot vertrek, hield een oogje op de kinderen die zich op het balkon stonden te verdringen, mopperde op de passagiers die tijdens de rit op- en afsprongen en verbood de mensen in te stappen als de tram vol was. Er waren leuke, grappige, ernstige, norse en onbehouwen conducteurs, en zoals het temperament of de stemming van de conducteur was, zo was ook de sfeer in de wagen. Wat een stommiteit dat ik het na de mislukte verrassing op de rit naar Schwetzingen niet meer had gewaagd om Hanna als conductrice op te wachten en mee te maken.

Ik stapte in de conducteurloze tram en liet me naar de Bergfriedhof rijden. Het was een koude herfstdag met een wolkeloze, heiige hemel en een gele zon die geen warmte meer gaf en waar je recht in kon kijken zonder dat het pijn deed aan je ogen. Ik moest even zoeken tot ik het graf, waar ook de plechtigheden rond de teraardebestelling plaatsvonden, had gevonden. Ik liep onder hoge, kale bomen tussen oude grafstenen. Af en toe kwam ik een tuinman tegen of een oude vrouw met een gieter en een tuinschaar. Het was heel stil, en ik hoorde al van verre het kerklied dat aan het graf van de professor werd gezongen.

Ik bleef ietwat terzijde staan en nam het groepje rouwenden op. Het viel op dat daar heel wat eenzelvigen en zonderlingen tussen zaten. Uit de toespraken over leven en werk van de professor werd indirect duidelijk dat hijzelf zich had onttrokken aan de opgelegde verplichtingen van de samenleving en op die manier het contact ermee had verloren, zich nergens bij had aangesloten en zo een vreemde vogel was geworden.

Ik herkende een voormalige deelnemer aan het werkcollege over de concentratiekampen; hij was voor

mij afgestudeerd, was eerst advocaat geworden en toen
kroegbaas en was in een lange, rode jas gekomen. Hij
sprak mij aan toen alles voorbij was en ik op de terugweg was naar de ingang van het kerkhof. 'We zaten in
dezelfde werkgroep – weet je nog wel?'

'Jazeker.'

'Ik was altijd op de woensdagen bij het proces, en
vaak nam ik jou mee in de auto.' Hij lachte. 'Jij was er
elke dag, elke dag en elke week. Vertel je me nu waarom?' Hij keek me aan, goedmoedig en oplettend, en ik
herinnerde me dat die blik me al in de werkgroep was
opgevallen.

'Ik was zeer geïnteresseerd in het proces.'

'Je was zeer geïnteresseerd in het proces?' Weer lachte hij. 'In het proces of in de verdachte waar je almaar
gefascineerd naar zat te kijken? Die ene, die er heel
behoorlijk uitzag? We hebben ons allemaal afgevraagd
wat er met jou en haar aan de hand was, maar niemand
waagde het om het aan jou te vragen. We waren in die
tijd vreselijk meelevend en discreet. Weet je nog...' Hij
bracht een andere deelnemer aan de werkgroep in herinnering die stotterde of lispelde en veel onzin sprak, en
naar wie we luisterden alsof zijn woorden van louter
goud waren. Hij bracht nog een paar andere deelne-
mers ter sprake, hoe ze destijds waren en wat ze tegenwoordig deden. Hij praatte en praatte. Maar ik wist dat
hij me ten slotte nog een keer zou vragen: 'Zo, en wat
was dat nou met jou en die verdachte?' En ik wist niet
wat ik moest antwoorden, hoe ik moest ontkennen,
bekennen, me eruit moest redden.

Toen waren we bij de uitgang en hij stelde de vraag.
Bij de halte zette net de tram zich in beweging, en ik
riep 'Tot kijk' en spurtte weg alsof ik op de treeplank
kon springen, en ik rende met de tram mee en sloeg
met mijn vlakke hand op de deur en toen gebeurde wat

ik niet had verwacht, wat ik niet had durven hopen. De tram maakte een extra stop, de deur ging open en ik stapte in.

4

NADAT IK WAS afgestudeerd moest ik een beroep kiezen. Ik nam daarvoor de tijd; Gertrud kreeg meteen een baan als rechter, had er haar handen aan vol en we waren blij dat ik thuis kon blijven om voor Julia te zorgen. Toen Gertrud de lastige begintijd erop had zitten en Julia naar de kleuterschool ging, kon ik de beslissing niet langer uitstellen.

Ik had er grote moeite mee. Ik kon mijzelf in geen van de rollen voorstellen waarin ik bij het proces tegen Hanna juristen had meegemaakt. Aanklagen vond ik een even groteske versimpeling als verdedigen, en rechtspreken was bij al die versimpelingen helemaal een farce. Ik zag mezelf ook niet in een ambtelijke functie; ik had tijdens mijn studie stage gelopen op het districtskantoor en had de kamers, gangen, geuren en medewerkers daar grijs, steriel en triest gevonden.

Zo bleven er niet veel juridische beroepen meer over en ik weet niet wat ik had gedaan als niet een professor in de rechtsgeschiedenis me had aangeboden bij hem te komen werken. Gertrud zei dat het een vlucht was, een vlucht voor de uitdagingen en verantwoordelijkheden van het leven, en ze had gelijk. Ik vluchtte en was opgelucht te kunnen vluchten. Het zou immers niet voor altijd zijn, zei ik tegen haar en mijzelf; ik was jong genoeg om ook na een paar jaar rechtsgeschiedenis nog elk serieus juridisch beroep te kunnen oppakken. Maar het was voor altijd; na de eerste vlucht kwam de volgende, toen ik de universiteit inruilde voor een onderzoeksinstituut en daar een eigen winkeltje kon beginnen waar ik mij kon toeleggen op mijn rechtshistorische belangstelling, niemand nodig had en niemand stoorde.

Nu is vlucht niet alleen weglopen, maar ook aankomen. En het verleden waar ik als rechtshistoricus aankwam, was niet minder vervuld van leven dan het heden. Het is ook niet zoals de buitenstaander geneigd is aan te nemen, dat je die vergane volheid des levens alleen maar bestudeert terwijl je aan de bestaande deelneemt. Geschiedenis beoefenen betekent bruggen tussen verleden en heden slaan en beide oevers bestuderen en op beide oevers in actie komen. Een van mijn onderzoeksgebieden werd het recht in het Derde Rijk, en op dat gebied wordt het wel heel duidelijk hoe verleden en heden samen een levende werkelijkheid vormen. Vlucht is hier niet je bezighouden met het verleden, maar vlucht is juist de bewuste concentratie op heden en toekomst, een concentratie die blind is voor de erfenis van het verleden die een stempel op ons drukt en waarmee we moeten leven.

Daarbij wil ik niet verzwijgen hoeveel bevrediging ik vond in het onderduiken in historische tijden die van minder betekenis zijn voor het heden. De eerste keer dat ik die bevrediging voelde, was toen ik onderzoek deed naar wetboeken en wetsontwerpen uit de periode van de Verlichting. Die boeken waren gebaseerd op de overtuiging dat er in de wereld in beginsel sprake is van een goede orde en dat die wereld daarom ook in een goede orde gebracht kan worden. Het verrukte me om te zien hoe er vanuit die overtuiging wetsartikelen als plechtige bewakers van die goede orde werden geschapen en tot wetten samengevoegd die pretendeerden schoonheid te bevatten en die met hun schoonheid het bewijs voor hun waarheid wilden leveren. Lange tijd geloofde ik dat er een vooruitgang in de geschiedenis van het recht bestaat, ondanks verschrikkelijke tegenslagen en reactionaire bewegingen een ontwikkeling naar meer schoonheid en waarheid, rationaliteit en humaniteit. Sinds het me duidelijk is geworden dat dit geloof een hersenschim is, speel ik met een ander beeld van de ontwikkeling van de geschiedenis van het recht. Daarin is de ontwikkeling weliswaar doelgericht, maar het doel waar ze na velerlei verschrikkingen, verwarringen en verblindingen aankomt, is het begin waarvandaan ze is vertrokken en waarvandaan ze, nauwelijks aangekomen, opnieuw moet vertrekken.

Ik herlas destijds de *Odyssee*, die ik voor het eerst op school had gelezen en die ik me herinnerde als het verhaal van een thuiskeer. Maar het is niet het verhaal van een thuiskeer. Hoe zouden de Grieken, die wisten dat je niet twee keer in *dezelfde* rivier stapt, al hebben kunnen geloven aan thuiskeer. Odysseus keert niet terug om te blijven, maar om er opnieuw op uit te trekken. De *Odyssee* is het verhaal van een beweging, tegelijkertijd doelgericht en doelloos, succesvol en tevergeefs. Wat is de geschiedenis van het recht anders!

5

MET DE ODYSSEE ben ik begonnen. Ik las die nadat Gertrud en ik uit elkaar waren gegaan. Vele nachten lang kon ik niet meer dan een paar uur slapen; ik lag wakker en als ik het licht aandeed en een boek pakte, vielen mijn ogen dicht, en als ik het boek weglegde en het licht uitdeed, was ik weer klaarwakker. Dus las ik hardop. Daar vielen mijn ogen niet bij dicht. En omdat Hanna altijd weer domineerde in het chaotische, met herinneringen en dromen gemengde, in martelende kringetjes ronddraaiende, halfwakkere nadenken over mijn huwelijk en mijn dochter en mijn leven, las ik voor Hanna. Ik las voor Hanna op cassettes.

Tot het zover was dat ik de cassettes verstuurde, gingen er maanden overheen. Eerst wilde ik geen fragmenten sturen en wachtte tot ik de hele Odyssee had opgenomen. Toen begon ik me af te vragen of Hanna de Odyssee wel interessant genoeg zou vinden, en ik nam op wat ik na de Odyssee las, verhalen van Schnitzler en Tsjechov. Toen stelde ik het steeds weer uit om de rechtbank waardoor Hanna was veroordeeld op te bellen en erachter te komen waar ze haar straf uitzat. Ten slotte had ik het allemaal bij elkaar, Hanna's adres in een gevangenis in de buurt van de stad waar het proces was gehouden en waar ze was veroordeeld, een cassetterecorder en de cassettes, van Tsjechov via Schnitzler tot Homerus doorgenummerd. En ten slotte kwam ik ertoe het hele pakket met de cassetterecorder en de cassettes daadwerkelijk te versturen.

Ik heb onlangs het schrift gevonden waarin ik optekende wat ik voor Hanna in de loop der jaren heb opgenomen. De eerste twaalf titels zijn kennelijk tegelijkertijd genoteerd; ik heb er waarschijnlijk eerst gewoon op los gelezen en toen gemerkt dat ik zonder aantekeningen te maken niet onthield wat ik al had ingesproken. Bij de volgende titels staat soms een datum, soms niet, maar ook zonder datum weet ik dat ik de eerste zending in het achtste en de laatste zending in het achttiende jaar van haar gevangenschap aan Hanna heb gestuurd. In het achttiende jaar werd haar gratieverzoek ingewilligd.

Over het algemeen las ik Hanna voor wat ik zelf toevallig graag las. Bij de *Odyssee* viel het me in het begin niet mee om bij het hardop lezen de inhoud even geconcentreerd op te nemen als bij het stille lezen voor mijzelf. Maar dat ging steeds beter. Een nadeel van het voorlezen bleef dat het langer duurde. Maar daar stond tegenover dat de voorgelezen tekst veel beter in het geheugen bewaard bleef. Zelfs nu nog kan ik me veel dingen bijzonder goed herinneren.

Ik las ook voor wat ik al kende en waar ik van hield. Zo kreeg Hanna veel Gottfried Keller en Theodor Fontane, Heinrich Heine en Eduard Mörike te horen. Lange tijd waagde ik het niet om gedichten voor te lezen, maar toen beleefde ik daar veel plezier aan en ik leerde een groot aantal van de voorgelezen gedichten uit mijn hoofd. Die kan ik ook nu nog opzeggen.

Al met al blijkt uit titels in het schrift een diep geworteld vertrouwen in de traditionele burgerlijke opvattingen over wat waardevolle boeken zijn. Ik kan me ook niet herinneren dat ik me ooit heb afgevraagd of ik verder zou gaan dan Kafka, Frisch, Johnson, Bachmann en Lenz en ook experimentele literatuur zou voorlezen, literatuur waarin ik het verhaal niet kan volgen en voor geen van de personages sympathie koester. Voor mij stond het vast dat experimentele literatuur met de lezer experimenteert, en daar had noch Hanna noch ik behoefte aan.

Toen ik zelf begon te schrijven, las ik haar ook dat voor. Ik wachtte tot ik mijn met de hand geschreven manuscript had gedicteerd, het typoscript had bewerkt en het gevoel had dat het nu klaar was. Bij het voorlezen merkte ik of het gevoel klopte. Zo niet, dan kon ik er nog eens doorheen gaan en een nieuwe opname over de oude heen spelen. Maar dat deed ik niet graag. Ik wilde afsluiten met het voorlezen. Hanna werd de instantie waarvoor ik nog één keer al mijn krachten, al mijn creativiteit, al mijn kritische fantasie bundelde. Daarna kon ik het manuscript naar de uitgever sturen.

Ik heb op de cassettes geen persoonlijke opmerkingen gemaakt, niet naar Hanna gevraagd, niets over mijzelf gezegd. Ik las de titel voor, de naam van de auteur en de tekst. Als de tekst klaar was, wachtte ik een ogenblik, deed het boek dicht en drukte op de stoptoets.

6

IN HET VIERDE jaar van ons woordrijke, woordarme contact kwam er een groet. 'Jochie, het laatste verhaal was
heel erg mooi. Dank. Hanna.'

Het papier was gelinieerd, een uit een schoolschrift
gescheurde en recht geknipte bladzijde. De groet stond
helemaal bovenaan en nam drie regels in beslag. Hij
was met een blauwe, vlekkerige ballpoint geschreven.
Hanna had veel kracht gezet op de pen; het schrift was
helemaal door het blad heen gedrukt. Ook het adres had
ze met veel kracht geschreven; de afdruk stond leesbaar
op de onderste en de bovenste helft van het in het midden gevouwen papier.

Op het eerste gezicht had je kunnen denken dat het
het handschrift van een kind was. Maar wat aan het
handschrift van kinderen stijf en onbeholpen is, was
hier gewelddadig. Je zag de weerstand die Hanna
moest overwinnen om de lijnen tot letters en de letters
tot woorden te vormen. De kinderhand wil alle kanten
op en moet in de baan van het schrift worden geleid.
Hanna's hand wilde geen enkele kant op en moest
vooruit worden gedwongen. De lijnen die de letters
vormden, begonnen steeds weer opnieuw, bij de op-
haal, bij de neerhaal, voor de lussen en de krullen. En
elke letter was apart veroverd en had een eigen schuine

of steile stand, vaak ook een verkeerde hoogte en breedte.

Ik las de groet en was vervuld van vreugde en opwinding. 'Ze kan schrijven, ze kan schrijven!' Alles wat ik in al die jaren had kunnen vinden over analfabetisme, had ik gelezen. Ik wist van de hulpeloosheid bij de alledaagse handelingen, bij het vinden van de weg en van een adres of bij het kiezen van een gerecht in een restaurant, van de pijnlijke nauwgezetheid waarmee de analfabeet vaste procedures en beproefde routines volgt, van de energie die het verbergen van de onmacht tot lezen en schrijven vergt en die ten koste gaat van het eigenlijke leven. Analfabetisme is onmondigheid. Doordat Hanna de moed had gehad om te leren lezen en schrijven, had ze de stap uit de onmondigheid naar de mondigheid gezet, een stap voorwaarts in de zin van de Verlichting.

Toen bestudeerde ik Hanna's schrift en zag hoeveel kracht en strijd het schrijven haar had gekost. Ik was trots op haar. Tegelijkertijd was ik verdrietig om haar, verdrietig om haar verzuimde en vergeefse leven, om het verzuimde en vergeefse leven in het algemeen. Ik bedacht dat als je het juiste tijdstip hebt gemist, als je je te lang iets hebt ontzegd, als iets je te lang is ontzegd, dat het dan te laat komt, zelfs als je er tenslotte met al je inzet aan bent begonnen en het met vreugde hebt aanvaard. Of bestaat 'te laat' niet, bestaat er alleen 'laat', en is 'laat' hoe dan ook beter dan 'nooit'? Ik weet het niet.

Na de eerste groet kwamen de volgende met grote regelmaat. Het waren altijd maar een paar regels, een bedankje, een verzoek om van dezelfde auteur meer of ook helemaal niets meer te horen, een opmerking over een auteur of een gedicht of een verhaal of een personage uit een roman, een waarneming in de gevangenis. 'Op de binnenplaats bloeit de forsythia al' of 'ik vind het fijn dat het deze zomer zo vaak onweert' of 'door het raam zie ik hoe de vogels zich verzamelen voor de trek naar het zuiden' – vaak heb ik pas door Hanna's mededelingen de forsythia's, de zomerse onweersbuien of de zwermen vogels voor het eerst waargenomen. Haar opmerkingen over literatuur waren vaak verbazingwekkend raak. 'Schnitzler blaft, Stefan Zweig is een dooie hond' of 'Keller heeft een vrouw nodig' of 'de gedichten van Goethe zijn net kleine schilderijtjes in een mooie lijst' of 'Lenz schrijft zeker op de schrijfmachine'. Omdat ze niets wist over de auteurs, ging ze ervan uit dat het tijdgenoten waren, zolang dat tenminste nog een beetje strookte. Ik was verbluft hoeveel oudere literatuur je inderdaad kunt lezen alsof die in deze tijd is ontstaan, en wie niets weet over geschiedenis, kan heel goed in de levensomstandigheden van vroeger tijden eenvoudigweg de levensomstandigheden van verre streken zien.

Ik heb Hanna nooit teruggeschreven. Maar ik ben er altijd mee doorgegaan haar voor te lezen. Toen ik een jaar in Amerika verbleef, stuurde ik de cassettes daarvandaan. Als ik op vakantie was of het heel erg druk had met mijn werk, kon het langer duren tot de volgende cassette klaar was; ik heb geen vast ritme ontwikkeld, maar de cassettes soms elke week of eens in de twee weken en soms ook pas na drie of vier weken verstuurd. Dat Hanna nu, nadat ze zelf lezen had geleerd, mijn cassettes niet meer nodig zou hebben, hield me niet bezig. Ze kon daarnaast lezen wat ze wilde. Het voorlezen was mijn manier om tegen haar, met haar te praten.

Ik heb al haar briefjes bewaard. Het handschrift verandert. Eerst dwingt ze de letters in dezelfde schuine stand en in de juiste hoogte en breedte. Nadat ze dat onder de knie heeft, kan ze soepeler en zekerder worden. Vloeiend wordt ze nooit. Maar ze verwerft iets van die strenge schoonheid die eigen is aan de handschriften van oude mensen die in hun leven weinig hebben geschreven.

7

IK HEB ER in die tijd niet bij stilgestaan dat Hanna op
een dag uit de gevangenis zou worden ontslagen. De
uitwisseling van briefjes en cassettes was zo normaal en
vertrouwd en Hanna stond op zo'n ontspannen manier
zowel dicht bij mij als ver van mij af, dat ik die toestand
eindeloos had kunnen laten voortduren. Dat was gemakzuchtig en egoïstisch, ik weet het.

Toen kwam de brief van de directrice van de gevangenis.

*'Sinds jaren corresponderen mevrouw Schmitz en u met
elkaar. Het is het enige contact dat mevrouw Schmitz met
de buitenwereld heeft en daarom richt ik mij tot u, hoewel ik
niet weet hoe nauw u beiden met elkaar verbonden bent en
of u een familielid of een vriend bent.*

*Volgend jaar zal mevrouw Schmitz weer een verzoek tot
gratie indienen, en ik ga ervan uit dat de commissie daaraan gevolg zal geven. Ze zal dan spoedig worden ontslagen
na achttien jaar gevangenschap. Natuurlijk kunnen wij zorgen voor een woning en voor werk, dat wil zeggen we kunnen daartoe een poging doen; met werk zal het op haar leeftijd moeilijk zijn, ook al is ze nog helemaal gezond en legt ze
een grote vaardigheid aan de dag in ons naaiatelier. Maar
beter dan wanneer wij ons erom bekommeren is het wanneer*

*familieleden of vrienden het doen en de uit de gevangenis
ontslagene in hun omgeving hebben en begeleiden en ondersteunen. U kunt zich niet voorstellen hoe eenzaam en hulpeloos een mens na achttien jaar gevangenis in de buitenwereld kan zijn.*

*Mevrouw Schmitz kan tamelijk goed voor zichzelf opko-
men en redt het ook zelf wel. Het zou voldoende zijn wanneer u een klein appartement en werk voor haar zou vinden,
haar in de eerste weken af en toe bezoekt en bij u uitnodigt
en u zich erom bekommert dat ze op de hoogte wordt gebracht van wat kerkgenootschappen, volkshogescholen, vor-
mingscentra enz. voor haar kunnen betekenen. Bovendien is
het niet gemakkelijk om na achttien jaar weer voor het eerst
de stad in te gaan, boodschappen te doen, een overheidsin-
stantie of een restaurant te bezoeken. Het is een stuk gemakkelijker wanneer iemand daarbij wordt begeleid.*

*Ik heb gemerkt dat u niet bij mevrouw Schmitz op be-
zoek gaat. Deed u dat wel, dan zou ik u niet schrijven, maar
u bij gelegenheid van uw bezoek voor een gesprek uitnodigen. Nu kan het niet anders dan dat u haar voor haar in-
vrijheidstelling een bezoek brengt. Komt u bij die gelegenheid toch ook even bij mij langs.'*

De brief eindigde met hartelijke groeten die ik niet op
mijzelf betrok maar op het feit dat de directrice van de
kwestie een hartszaak had gemaakt. Ik had al over haar
gehoord; haar inrichting had de reputatie iets buitenge-
woons te zijn en haar stem legde gewicht in de schaal in
kwesties die betrekking hadden op modernisering van
het gevangeniswezen. Haar brief beviel me.

Maar wat er op me af kwam, beviel me niet. Natuurlijk moest ik me bekommeren om werk en een woning,
en dat heb ik ook gedaan. Vrienden die de zelfstandige
woning in hun huis niet benutten en ook niet verhuur-
den, waren bereid om die voor een lage huur aan Hanna

ter beschikking te stellen. De Griekse kleermaker bij wie ik af en toe kleding liet veranderen, wilde Hanna in dienst nemen; zijn zuster, die samen met hem het naaiatelier runde, wilde weer naar Griekenland terug. Ik heb me ook lang voordat Hanna daar iets mee kon beginnen bekommerd om de sociale en educatieve activiteiten van kerkelijke en wereldlijke instellingen. Maar een bezoek aan Hanna schoof ik voor me uit.

Juist doordat ze op zo'n ontspannen manier zowel dicht bij mij stond als ver van mij af, wilde ik haar niet bezoeken. Ik had het gevoel dat ze datgene wat ze voor me betekende, alleen op een reële afstand kon betekenen. Ik was bang dat de kleine, eenvoudige, beschermde wereld van briefjes met groeten en cassettes te kunstmatig en te kwetsbaar was dan dat die de werkelijke nabijheid zou kunnen trotseren. Hoe moesten we oog in oog met elkaar komen te staan zonder dat alles boven kwam wat er tussen ons was gebeurd?

Zo ging het jaar voorbij zonder dat ik in de gevangenis was geweest. Van de directrice van de gevangenis hoorde ik lange tijd niets; een brief waarin ik over de woon- en werkomstandigheden berichtte die Hanna te wachten stonden, bleef onbeantwoord. Ze hield er waarschijnlijk rekening mee mij naar aanleiding van mijn bezoek aan Hanna te spreken te krijgen. Ze kon niet weten dat ik dit bezoek niet alleen voor me uitschoof, maar me er ook voor drukte. Maar ten slotte viel de beslissing dat Hanna gratie zou krijgen en ontslagen zou worden, en de directrice belde me op. Of ik nu wilde komen? Over een week zou Hanna vrijkomen.

8

DE EERSTVOLGENDE ZONDAG was ik bij haar. Het was mijn eerste bezoek aan een gevangenis. Ik werd bij de ingang gecontroleerd, en onderweg werden er verscheidene deuren geopend en weer op slot gedaan. Maar het gebouw was nieuw en licht, en in het binnenste gedeelte stonden de deuren open en konden de vrouwen vrij rondlopen. Aan het eind van de gang leidde een deur naar buiten, naar een druk bezocht grasveld met bomen en banken. Ik keek zoekend rond. De bewaakster die me had begeleid, wees naar een bank vlakbij in de schaduw van een kastanje.

Hanna? De vrouw op de bank was Hanna? Grijs haar, een gezicht met diepe loodrechte groeven in het voorhoofd, in de wangen, rond de mond en een zwaar lichaam. Ze droeg een te nauwe, om borsten, buik en dijen spannende lichtblauwe jurk. Haar handen lagen in haar schoot en hielden een boek vast. Ze las er niet in. Over de rand van haar halve leesbril keek ze naar een vrouw die broodkruimel na broodkruimel aan een paar mussen voerde. Toen merkte ze dat er naar haar werd gekeken en draaide ze haar gezicht naar me toe.

Ik zag de verwachting in haar gezicht, zag hoe het van vreugde begon te stralen toen ze me herkende, zag hoe haar ogen mijn gezicht aftastten toen ik dichterbij

kwam, zag haar ogen zoeken, vragen, onzeker en gekwetst kijken en zag hoe het licht in haar gezicht doof-
de. Toen ik bij haar stond, glimlachte ze een vriendelijke, vermoeide glimlach. 'Je bent groot geworden, jochie.'
Ik ging naast haar zitten en ze nam mijn hand in de
hare.

Ik had vroeger heel veel van haar geur gehouden. Ze
rook altijd fris: fris gewassen of naar frisse was of naar
fris zweet of fris bemind. Soms deed ze parfum op, ik
weet niet wat voor merk, en ook de geur daarvan was in
de eerste plaats fris. Onder die frisse geuren lag nog een
andere, een zware, donkere, kruidige geur. Vaak heb ik
haar besnuffeld als een nieuwsgierig dier, ben bij haar
hals en schouders begonnen, die fris gewassen roken,
heb tussen haar borsten de frisse zweetgeur opgesno-
ven die zich in haar oksels mengde met de andere geur,
trof die zware, donkere geur rond haar middel en buik
in bijna pure vorm aan en tussen haar benen in een
fruitige variant die me opwond, heb ook haar benen en
voeten besnuffeld, haar dijen, waar de zware geur bijna
niet meer merkbaar was, haar knieholtes, waarin opnieuw de lichte frisse zweetgeur, en haar voeten met de
geur van zeep of leer of vermoeidheid. Rug en armen
hadden geen bijzondere geur, roken naar niets en roken
toch naar haar, en in haar handpalmen was de geur van
de dag en het werk: de zwarte drukinkt van de kaartjes,
het metaal van de tang, uien of vis of gebraden vet, sop
of de hitte van het strijken. Worden ze gewassen, dan
verraden handen eerst niets van al die dingen. Maar de
zeep heeft de geuren alleen bedekt, en na een poosje
zijn ze er weer, zwak, versmolten tot een enkele geur
van de dag en het werk, de geur van het einde van de
dag en het werk, de geur van de avond, van de thuis-
komst en het thuiszijn.

Ik zat naast Hanna en rook een oude vrouw. Ik weet

niet waardoor die geur wordt bepaald, die ik van groot-
moeders en oude tantes ken en die in bejaardenhuizen
in de kamers en gangen hangt als een vloek. Hanna was
te jong voor die geur.

Ik ging dichter bij haar zitten. Ik had gemerkt dat ik
haar daarnet had teleurgesteld en wilde het nu beter
doen en weer goedmaken.

'Ik ben blij dat je vrijkomt.'

'Ja?'

'Ja, en ik ben blij dat je in de buurt zult zijn.' Ik vertelde over de woning en het werk dat ik voor haar had
gevonden, over de culturele en sociale voorzieningen in
dat deel van de stad, over de openbare bibliotheek. 'Lees
je veel?'

'Gaat wel. Voorgelezen worden is fijner.' Ze keek me
aan. 'Dat is nu voorbij zeker?'

'Waarom zou dat voorbij zijn?' Maar ik zag me noch
cassettes voor haar inspreken noch bij haar op bezoek
gaan en haar voorlezen. 'Ik was zo blij dat je hebt leren
lezen en heb je er zo om bewonderd. En wat een mooie
brieven heb je me geschreven!' Dat klopte; ik had haar
bewonderd en was blij geweest dat ze kon lezen en dat
ze me schreef. Maar ik voelde hoe weinig mijn bewondering en blijdschap op hun plaats waren in verhouding
tot wat het leren lezen en schrijven Hanna moest hebben gekost, hoe schamel het was dat mijn bewondering
en vreugde me er niet eens toe hadden gezet om haar
brieven te beantwoorden, haar te bezoeken, met haar te
praten. Ik had Hanna een klein apart plekje gegund, wel
degelijk een plekje dat voor mij belangrijk was, dat iets
voor me betekende en waar ik iets voor over had, maar
geen plaats in mijn leven.

Maar waarom had ik haar een plaats in mijn leven
moeten gunnen? Ik raakte ontstemd door het slechte
geweten dat ik kreeg bij de gedachte dat ik haar tot een

miniem plekje had gereduceerd. 'Heb je voor het proces eigenlijk nooit gedacht aan die dingen die tijdens het proces ter sprake kwamen? Ik bedoel, heb je er nooit aan gedacht als we samen waren en ik je voorlas?'

'Houdt dat je erg bezig?' Maar ze wachtte niet op een antwoord. 'Ik had altijd het gevoel dat toch niemand me begrijpt, dat niemand weet wie ik ben en wat mij tot het een en ander heeft gebracht. En weet je, als niemand je begrijpt, kan ook niemand rekenschap van je eisen. Ook de rechtbank kan geen rekenschap van je eisen. Maar de doden kunnen het. Zij begrijpen het. Daarvoor hoeven ze er helemaal niet bij geweest te zijn, maar als ze erbij waren, begrijpen ze het heel erg goed. Hier in de gevangenis waren ze veel bij me. Ze kwamen elke nacht, of ik ze wilde ontvangen of niet. Voor het proces heb ik ze, als ze wilden komen, nog kunnen wegjagen.'

Ze wachtte of ik daar iets op wilde zeggen, maar ik wist niet wat. Dat ik niets kon wegjagen, had ik eerst willen zeggen. Maar dat klopte niet; je jaagt iemand ook weg door hem een heel klein plekje te geven.

'Ben je getrouwd?'

'Geweest. Gertrud en ik zijn al jaren geleden gescheiden, en onze dochter zit op een internaat; ik hoop dat ze de laatste jaren op school daar niet blijft, maar bij mij wil intrekken.' Nu wachtte ik of zij daarop iets wilde zeggen. Maar ze zweeg. 'Ik kom je volgende week afhalen, ja?'

'Ja.'

'Heel stilletjes, of mag het ook een beetje luider en vrolijker zijn?'

'Heel stilletjes.'

'Goed, ik haal je heel stilletjes en zonder muziek en champagne af.' Ik stond op en ook zij stond op. We keken elkaar aan. De bel was al twee keer gegaan en de andere vrouwen waren al naar binnen. Weer tastten haar ogen mijn gezicht af. Ik nam haar in mijn armen, maar zoals ze aanvoelde, klopte er iets niet.

'Het beste, jochie.'

'Met jou ook.'

Zo namen we afscheid al voordat we in de gevangenis van elkaar werden gescheiden.

9

DE WEEK DAARNA had ik het erg druk. Ik weet niet meer of ik met de lezing die ik aan het voorbereiden was ook werkelijk onder tijdsdruk stond, of dat ik mijzelf alleen maar onder werk- en tijdsdruk had gezet.

Het concept waarmee ik aan de voorbereiding van de lezing was begonnen, deugde niet. Toen ik het aan een kritische beschouwing onderwierp, kwam ik overal waar ik zinnige en samenhangende redeneringen verwachtte, de ene toevalligheid na de andere tegen. In plaats van me daarbij neer te leggen, zocht ik verder, opgejaagd, verbeten, bangelijk, alsof het met mijn concept van de werkelijkheid aan die werkelijkheid zelf schortte, en ik was bereid de onderzoeksresultaten te verdraaien, op te blazen of te verdoezelen. Ik raakte in een eigenaardig onrustige toestand, viel weliswaar in slaap als ik laat naar bed ging, maar was na een paar uur klaarwakker tot ik besloot op te staan en verder te lezen of te schrijven.

Ik deed ook wat noodzakelijk was voor de voorbereiding op de vrijlating. Ik richtte Hanna's woning in, met Ikea-meubels en een paar antieke stukken, kondigde bij de Griekse kleermaker Hanna's komst aan en verzamelde de laatste informatie over sociale en educatieve mogelijkheden. Ik legde een voorraad levensmiddelen aan, zette boeken op de boekenplanken en hing platen op. Ik liet een tuinman komen die de kleine tuin op orde bracht die rond het voor de woonkamer gelegen terras lag. Ik deed ook deze dingen op een eigenaardig gejaagde en verbeten manier; het was me alles te veel.

Maar het was net genoeg voor mij om niet aan het bezoek aan Hanna te hoeven terugdenken. Alleen een enkele keer, als ik autoreed of moe aan mijn bureau zat of wakker in bed lag of in Hanna's woning was, kreeg de gedachte daaraan de overhand en kwamen de herinneringen los. Ik zag haar op de bank, haar blik op mij gericht, zag haar in het zwembad, haar gezicht naar mij toegekeerd, en had weer het gevoel dat ik haar verraden had en mij tegenover haar schuldig had gemaakt. En weer verzette ik me tegen dat gevoel en klaagde haar aan en vond de manier waarop zij zich van haar schuld had afgemaakt goedkoop en gemakzuchtig. Alleen tegenover de doden rekenschap af te leggen, schuld en boetedoening te reduceren tot slechte nachtrust en zware dromen – waar bleven dan de levenden? Maar waar het mij om te doen was, waren niet de levenden, maar was ik. Had ik niet ook het recht rekenschap van haar te vragen? Waar bleef ik?

De middag voor de dag waarop ik haar zou afhalen, belde ik de gevangenis. Eerst sprak ik met de directrice.

'Ik ben een beetje nerveus. Weet u, normaliter wordt niemand uit gevangenschap ontslagen voordat hij niet eerst een aantal uren dan wel dagen buiten de poort heeft doorgebracht. Mevrouw Schmitz weigerde dat. Het zal haar morgen niet meevallen.'

Ik werd doorverbonden met Hanna.

'Bedenk wat we morgen gaan doen. Of je meteen naar jouw huis wilt of dat we naar het bos of naar de rivier gaan.'

'Ik zal erover nadenken. Je bent nog steeds een echte plannenmaker, niet?'

Dat ergerde me. Dat ergerde me, zoals wanneer vriendinnen af en toe tegen me zeiden dat ik niet spontaan genoeg ben en te veel vanuit mijn verstand in plaats van mijn gevoel functioneer.

Ze merkte door mijn zwijgen dat ik me ergerde en lachte. 'Erger je niet, jochie, ik bedoel het niet kwaad.'

Ik had Hanna op de bank als oude vrouw teruggezien. Ze had eruitgezien als een oude vrouw en geroken als een oude vrouw. Ik had helemaal niet op haar stem gelet. Haar stem was heel jong gebleven.

10

DE VOLGENDE OCHTEND was Hanna dood. Ze had zich bij het aanbreken van de dag opgehangen.

Toen ik kwam, werd ik bij de directrice gebracht. Voor het eerst zag ik haar, een kleine, tengere vrouw met donkerblond haar en een bril. Ze zag er onopvallend uit, tot ze begon te spreken, met kracht en warmte en een strenge blik en energieke bewegingen van haar handen en armen. Ze vroeg me naar het telefoongesprek van de vorige dag en de ontmoeting de week daarvoor. Of ik er een vermoeden van had gehad, er bang voor was geweest. Ik ontkende. Er was ook geen sprake van vermoedens of angsten die ik had verdrongen.

'Waar kent u haar van?'

'We woonden bij elkaar in de buurt.' Ze keek me onderzoekend aan, en ik merkte dat ik nog meer moest zeggen. 'We woonden bij elkaar in de buurt en hebben elkaar leren kennen en zijn bevriend geraakt. Als jonge student was ik later bij het proces waarbij ze werd veroordeeld.'

'Waarom heeft u cassettes gestuurd aan mevrouw Schmitz?'

Ik zweeg.

'U wist dat ze analfabete was, nietwaar? Hoe bent u daar achter gekomen?'

Ik haalde mijn schouders op. Ik zag niet in wat de geschiedenis van Hanna en mij haar aanging. Ik had tranen in mijn borst en keel en was bang niet te kunnen praten. Ik wilde niet huilen waar ze bij was.

Ze moet hebben gezien wat er met me aan de hand was. 'Komt u maar mee, ik zal u mevrouw Schmitz' cel laten zien.' Ze ging me voor, draaide zich steeds weer naar me om om iets tegen me te zeggen of me uit te leggen. Hier had een aanslag van terroristen plaatsgevonden, hier was het naaiatelier waarin Hanna had gewerkt, hier had Hanna een keer een zitstaking gehouden tot de bezuiniging op het bibliotheekbudget was teruggedraaid, hier ging je naar de bibliotheek. Voor de cel bleef ze staan. 'Mevrouw Schmitz heeft niets ingepakt. U ziet de cel zoals ze daarin heeft gewoond.'

Bed, kast, tafel en stoel, langs de muur boven de tafel een boekenrek en in de hoek achter de deur wastafel en wc. In plaats van een raam glazen bouwstenen. De tafel was leeg. In het rek stonden boeken, een wekker, een speelgoedbeer, twee kommen, oploskoffie, theeblikjes, de cassettespeler en in twee lage vakken de door mij ingesproken cassettes.

'Ze zijn er niet allemaal.' De directrice had mijn blik gevolgd. 'Mevrouw Schmitz leende altijd enkele cassettes uit aan de hulporganisatie voor blinde gedetineerden.'

Ik ging voor het boekenrek staan. Primo Levi, Elie Wiesel, Tadeusz Borowski, Jean Améry – de literatuur van de slachtoffers naast de autobiografische notities van Rudolf Höss, Hannah Arendts verslag van het Eichmannproces in Jeruzalem en wetenschappelijke literatuur over concentratiekampen.

'Heeft Hanna dat gelezen?'

'Ze heeft de boeken in ieder geval weloverwogen besteld. Ik heb haar verscheidene jaren geleden al op

haar verzoek een algemene bibliografie over concentratiekampen doen toekomen, en een jaar of twee geleden
heeft ze me verzocht om haar boeken over vrouwen in
de concentratiekampen te noemen, over gevangenen en
kampcommandantes. Ik heb een brief geschreven aan
het Institut für Zeitgeschichte en een speciale bibliografie met betrekking tot dat thema gekregen. Nadat mevrouw Schmitz had leren lezen, is ze meteen begonnen
over concentratiekampen te lezen.

Boven het bed hingen veel plaatjes en briefjes. Ik
knielde op het bed en las. Het waren citaten, gedichten,
kleine berichten, kookrecepten ook, die Hanna had
genoteerd of net als de plaatjes uit kranten en tijdschrif-
ten had geknipt. 'Lente laat haar blauwe lint weer wap-
peren door de luchten', 'Wolkenschaduwen jagen over
velden' – de gedichten waren vol liefde en verlangen
naar de natuur, en op de plaatjes stonden bossen in het
lichte groen van de lente, weiden vol kleurige bloemen,
herfstbladeren en alleenstaande bomen, een wilg aan
een beek, een kersenboom met rijpe rode kersen, een
herfstig geel en oranje vlammende kastanje. Op een
krantenfoto stonden een oude en een jonge man in donkere pakken die elkaar een hand gaven, en in de jonge
man, die voor de oudere man een buiging maakte, herkende ik mijzelf. Ik had mijn eindexamen gedaan en bij
de uitreiking van het diploma kreeg ik door de rector
een prijs overhandigd. Dat was lang nadat Hanna de
stad had verlaten. Had ze, hoewel ze niet kon lezen, destijds een abonnement op de plaatselijke krant waarin de
foto had gestaan? Ze moest zich in ieder geval enige
moeite hebben getroost om van het bestaan van de foto
op de hoogte te zijn en er de hand op te leggen. En tijdens het proces had ze die foto bezeten, bij zich gehad?
Ik voelde weer de tranen in borst en keel.

'Ze heeft met u leren lezen. Ze heeft uit de biblio-

theek de boeken geleend die u op cassette hebt ingesproken, en woord voor woord, zin voor zin gevolgd wat
ze hoorde. De cassetterecorder hield het voortdurende
aan- en uitzetten, vooruit- en terugspoelen niet lang uit,
ging steeds weer kapot, moest steeds weer worden gere-
pareerd, en omdat daar toestemming voor nodig was,
kwam ik ten slotte te weten waar mevrouw Schmitz
mee bezig was. Ze wilde het eerst niet zeggen, maar
toen ze ook begon te schrijven en mij om een leerboek
over het handschrift verzocht, probeerde ze het niet langer te verbergen. Ze was er ook gewoon erg trots op dat
ze het voor elkaar had gekregen en wilde haar vreugde
daarover met iemand delen.'

Ik had, terwijl ze sprak, de hele tijd met mijn blik op
de plaatjes en briefjes op het bed geknield en geprobeerd mijn tranen te onderdrukken. Toen ik me om-
draaide en op het bed ging zitten, zei ze: 'Ze hoopte zo
dat u haar zou schrijven. Ze kreeg alleen post van u, en
als de post werd rondgedeeld en ze vroeg "geen brief
voor mij?", bedoelde ze met brief niet het pakje waarin
de cassettes zaten. Waarom hebt u haar nooit geschreven?'

Ik zweeg alweer. Ik had niet kunnen praten, ik had
alleen kunnen stamelen en huilen.

Ze liep naar het boekenrek, pakte een theeblikje,
ging naast me zitten en haalde een opgevouwen blad
papier uit de zak van haar uniform. 'Ze heeft een brief
voor mij nagelaten, een soort testament. Ik lees u voor
wat u aangaat.' Ze vouwde het blad open. 'In het paarse
theeblik zit nog geld. Geeft u dat aan Michael Berg; hij
moet het samen met de 7000 mark die op de bank
staan, aan de dochter geven die met haar moeder de
brand in de kerk heeft overleefd. Zij moet beslissen wat
ermee gaat gebeuren. En zeg tegen hem dat ik hem
groet.'

Ze had dus geen bericht voor mij achtergelaten. Wilde ze me krenken? Wilde ze me straffen? Of was ze geestelijk zo moe dat ze alleen nog maar het allernoodzakelijkste had kunnen doen en schrijven? 'Hoe was ze al die jaren,' ik wachtte tot ik verder kon praten, 'en hoe waren haar laatste dagen?'

'Vele jaren lang heeft ze hier geleefd als in een klooster. Alsof ze zich hier vrijwillig had teruggetrokken, alsof ze zich vrijwillig had onderworpen aan de hier heersende orde, alsof het enigszins eentonige werk een soort meditatie was. Bij de andere vrouwen, tegenover wie ze zich vriendelijk maar afstandelijk gedroeg, genoot ze bijzonder aanzien. Sterker nog, ze had autoriteit, werd om raad gevraagd als er problemen waren, en wanneer zij bij een ruzie bemiddelde, werd haar beslissing geaccepteerd. Tot ze zichzelf een aantal jaren geleden opgaf. Ze had altijd goed voor zichzelf gezorgd, was met haar krachtige gestalte toch slank en van een pijnlijk nauwkeurige properheid. Nu begon ze veel te eten, zich zelden te wassen, werd dik en verspreidde een onaangename geur. Ze maakte bij dat alles geen ongelukkige of ontevreden indruk. Eigenlijk was het alsof de retraite in het klooster niet meer voldoende was, alsof het er zelfs in het klooster nog te sociaal en amicaal aan toeging en ze zich daarom nog verder moest terugtrekken, in een eenzame kluizenaarshut waar niemand je meer ziet en waar uiterlijk, kleding en lichaamsgeur geen betekenis meer hebben. Nee, dat ze zichzelf had opgegeven, was niet het juiste woord. Ze had zichzelf een andere plaats toebedeeld, op een manier die voor haarzelf klopte, maar die op de andere vrouwen geen indruk meer maakte.'

'En de laatste dagen?'

'Ze was als altijd.'

'Kan ik haar zien?'

Ze knikte, maar bleef zitten. 'Kan de wereld voor

iemand na jaren van eenzaamheid zo onverdraaglijk worden? Maak je er liever een eind aan dan uit het klooster, uit het kluizenaarschap weer terug te keren naar de wereld?' Ze draaide zich naar mij om. 'Mevrouw Schmitz heeft niet geschreven waarom ze er een eind aan gemaakt heeft. En u zegt niet wat er tussen u beiden is geweest en wat er mogelijk toe heeft geleid dat mevrouw Schmitz er in de nacht voordat u haar wilde komen afhalen, een eind aan heeft gemaakt.' Ze vouwde het vel papier op, stak het in haar zak, stond op en streek haar rok glad. 'Haar dood raakt me, weet u, en op het ogenblik ben ik boos, op mevrouw Schmitz en op u. Maar laten we gaan.'

Ze liep weer voor me uit, deze keer zwijgend. Hanna lag op de ziekenafdeling in een kleine kamer. We konden net tussen de muur en de baar instaan. De directrice sloeg het laken terug.

Ze hadden Hanna een doek om haar hoofd gebonden om haar kin bij het stijf worden van het lichaam gesloten te houden. Haar gezicht was noch bijzonder vredig noch bijzonder gekweld. Het zag er star en dood uit. Toen ik lang keek, lichtte in het dode gezicht het levende op, in het oude het jonge. Zo moet het met oude echtparen gaan, dacht ik; voor haar blijft in de oude man de jonge bewaard en voor hem de schoonheid en gratie van de jonge vrouw in de oude. Waarom had ik dat oplichten een week geleden niet gezien?

Ik hoefde niet te huilen. Toen de directrice me na een poosje vragend aankeek, knikte ik, en ze trok het laken weer over Hanna's gezicht.

II

HET DUURDE TOT de herfst voor ik Hanna's opdracht uit-
voerde. De dochter woonde in New York, en ik koos
voor een congres in Boston als aanleiding om haar het
geld te brengen: een cheque ter waarde van het bedrag
op het spaarbankboekje en het theeblik met het contan-
te geld. Ik had haar een brief geschreven, mijzelf voorgesteld als rechtshistoricus en melding gemaakt van het
proces. En dat ik haar dankbaar zou zijn wanneer ik met
haar zou kunnen spreken. Ze nodigde me uit voor de
thee.

Vanuit Boston reisde ik met de trein naar New York.
De bossen stonden te pronken in bruin, geel, oranje,
roodbruin en bruinrood en in het vlammende, stralende rood van de ahorn. Ik moest denken aan de herfst-
plaatjes in Hanna's cel. Toen ik moe werd van het rate-
len van de wielen en het schommelen van de wagon,
droomde ik van Hanna en mij in een huis in de heuvels
vol herfstkleuren waar de trein doorheen reed. Hanna
was ouder dan toen ik haar had leren kennen en jonger
dan toen ik haar opnieuw had ontmoet, ouder dan ik,
mooier dan vroeger, met de jaren nog gelatener in haar
bewegingen en in haar lichaam nog meer thuis. Ik zag
haar uit de auto stappen en papieren tassen vol boodschappen op haar arm nemen, zag haar door de tuin

naar het huis gaan, zag haar de tassen met boodschappen neerzetten en voor mij uit de trap oplopen. Het verlangen naar Hanna werd zo sterk dat het pijn deed. Ik verzette me tegen dat verlangen, probeerde er tegenin te brengen dat het volledig voorbijging aan de realiteit van Hanna en mij, aan de realiteit van onze leeftijden, onze levensomstandigheden. Hoe moest Hanna, die geen Engels sprak, in Amerika leven? En autorijden kon ze ook niet.

Ik werd wakker en wist weer dat Hanna dood was. Ik wist ook dat het verlangen zich aan haar had gehecht zonder dat het werkelijk betrekking op haar had. Het was het verlangen om thuis te komen.

De dochter woonde in New York in een kleine straat in de buurt van Central Park. Aan beide kanten van de straat stonden rijen huizen van donker natuursteen met trappen uit hetzelfde donkere natuursteen, die naar de eerste verdieping leidden. Dat leverde een streng beeld op, huis na huis, de gevels bijkans identiek, trap na trap, bomen die nog niet lang geleden op regelmatige afstand van elkaar langs de straat geplant waren met een paar gele bladeren aan dunne takken.

De dochter serveerde de thee voor grote ramen met uitzicht op de kleine tuintjes van het blok huizen, sommige groen en vol kleuren en sommige alleen maar een verzameling oude troep. Zodra we zaten, de thee was ingeschonken, de suiker erin gedaan en omgeroerd, ging ze van het Engels, waarin ze me had begroet, over op het Duits. 'Wat brengt u naar mij toe?' Ze vroeg het niet vriendelijk en niet onvriendelijk; de toon was strikt zakelijk. Alles aan haar maakte een zakelijke indruk, houding, gebaren, kleding. Haar gezicht was merkwaardig leeftijdloos. Zo zien gezichten eruit die een facelift hebben ondergaan. Maar misschien was het ook verstard onder het leed van vroeger – ik probeerde tevergeefs om mij haar gezicht tijdens het proces te herinneren.

Ik vertelde over Hanna's dood en opdracht.

'Waarom ik?'

'Ik vermoed omdat u de enige overlevende bent.'

'Wat moet ik ermee?'

'Alles wat u zinvol vindt.'

'En mevrouw Schmitz daarmee absolutie geven?'

Eerst wilde ik daartegen ingaan, maar Hanna verlangde inderdaad veel. De jaren van de gevangenschap moesten niet alleen verplichte boetedoening zijn; Hanna wilde er zelf zin aan geven, en ze wilde dat die eigen zingeving werd erkend. Ik zei haar dat.

Ze schudde haar hoofd. Ik wist niet of ze daarmee mijn interpretatie wilde afwijzen of Hanna haar erkenning weigerde.

'Kunt u haar de erkenning niet zonder de absolutie geven?'

Ze lachte. 'U mag haar, nietwaar? In welke relatie stond u eigenlijk tot elkaar?'

Ik aarzelde een ogenblik. 'Ik was haar voorlezer. Het begon toen ik vijftien was en werd voortgezet toen ze in de gevangenis zat.'

'Hoe heeft u...'

'Ik heb haar cassettes gestuurd. Mevrouw Schmitz was bijna haar hele leven lang analfabete; ze heeft pas in de gevangenis leren lezen en schrijven.'

'Waarom hebt u dat alles gedaan?'

'We hadden, toen ik vijftien was, een relatie.'

'U bedoelt dat u met elkaar naar bed ging?'

'Ja.'

'Wat is die vrouw driest geweest. Bent u eroverheen gekomen dat ze u op uw vijftiende... Nee, u zegt zelf dat u weer bent begonnen met voorlezen toen ze in de gevangenis zat. Bent u ooit getrouwd?'

Ik knikte.

'En uw huwelijk was kort en ongelukkig en u bent niet opnieuw getrouwd en het kind, als daar al sprake van is, zit op een internaat.'

'Dat is op duizenden mensen van toepassing; daarvoor is geen mevrouw Schmitz nodig.'

'Had u, als u in die laatste jaren contact met haar had, wel eens het gevoel dat ze wist wat ze u heeft aangedaan?'

Ik haalde mijn schouders op. 'In ieder geval wist ze wat ze anderen in het kamp en tijdens de voettocht heeft aangedaan. Ze heeft me dat niet alleen gezegd, ze heeft zich er in de laatste jaren in de gevangenis ook intensief mee beziggehouden.' Ik deelde haar mee wat de directrice van de strafinrichting me had verteld.

Ze stond op en liep met grote stappen heen en weer door de kamer. 'En om hoeveel geld gaat het dan wel?'

Ik ging naar de garderobe waar ik mijn tas had achtergelaten en kwam met cheque en theeblik weer terug. 'Alstublieft.'

Ze keek naar de cheque en legde die op de tafel. Het blik deed ze open, ze maakte het leeg, deed het weer dicht en hield het in haar hand, haar ogen er strak op gericht. 'Als meisje had ik een theeblik voor mijn schatten. Niet zo'n blik als dit, hoewel zulke theeblikken er toen ook al waren, maar een met cyrillische letters, het deksel drukte je er niet op, maar je sloot het eroverheen. Ik heb het ook in het kamp nog bij me gehad, daar heeft iemand het op een dag gestolen.'

'Wat zat erin?'

'Tja, wat zat erin. Een plukje haar van onze poedel, kaartjes voor de opera waar mijn vader me mee naartoe heeft genomen, een ring, ergens gewonnen of in een verpakking gevonden – het blik werd me niet ontstolen vanwege de inhoud. Het blik zelf en wat je ermee kon doen, was in het kamp veel waard.' Ze zette het blik op de cheque. 'Heeft u een voorstel wat er met het geld kan worden gedaan? Het voor iets gebruiken wat met de holocaust te maken heeft, zou me te veel op de absolutie gaan lijken die ik kan noch wil geven.'

'Voor analfabeten die willen leren lezen en schrijven. Op dat gebied zijn er zeker charitatieve instellingen, verenigingen, stichtingen, waaraan u het geld zou kunnen geven.'

'Zeker bestaan die.' Ze dacht na.

'Bestaan er ook joodse verenigingen op dat gebied?'

'U kunt er zeker van zijn dat als er voor zoiets verenigingen bestaan, er ook joodse verenigingen voor zijn. Maar analfabetisme is natuurlijk niet bepaald een joods probleem.'

Ze schoof de cheque en het geld naar me toe.

'Laten we het zo oplossen. U gaat na wat voor relevante joodse instellingen er zijn, hier of in Duitsland, en maakt het geld over op de rekening van de instelling die op u het geloofwaardigst overkomt. U kunt,' ze lachte, 'als de erkenning erg belangrijk is, het geld natuurlijk ook in naam van Hanna Schmitz overmaken.'

Ze nam het blik weer in haar hand. 'Het theeblik behoud ik.'

12

INTUSSEN LIGT DAT allemaal tien jaar achter me. In de
eerste jaren na Hanna's dood werd ik achtervolgd door
de oude vragen, of ik haar verloochend en verraden heb,
of ik haar iets schuldig ben gebleven, of ik schuld op me
heb geladen door van haar te houden, of ik en hoe ik me
van haar had moeten distantiëren, had moeten losmaken. Soms vroeg ik me af of ik voor haar dood verantwoordelijk ben. En soms was ik boos op haar en over
wat ze mij heeft aangedaan. Tot de boosheid wegebde
en de vragen hun belang verloren. Wat ik heb gedaan en
niet gedaan en wat zij mij heeft aangedaan – het is nu
eenmaal mijn leven geworden.

Het plan om het verhaal van Hanna en mij te schrijven, heb ik spoedig na haar dood opgevat. Sindsdien is
ons verhaal in mijn hoofd vele malen opgeschreven,
steeds weer een beetje anders, steeds weer met nieuwe
beelden en flarden van handelingen en gedachten. Zo
bestaan er naast de versie die ik heb opgeschreven vele
andere. De garantie dat het geschreven verhaal het juiste is, ligt daarin dat ik dit verhaal heb geschreven en de
andere versies niet. De geschreven versie wilde geschreven worden, de vele andere wilden dat niet.

Eerst wilde ik ons verhaal opschrijven om ervan af te
komen. Maar met dat doel hebben de herinneringen

zich niet voorgedaan. Toen merkte ik hoe ons verhaal me ontglipte en wilde ik het door te schrijven terughalen, maar ook dat heeft de herinnering niet te voorschijn gelokt. Sinds een paar jaar laat ik ons verhaal met rust. Ik heb er vrede mee gesloten. En het is teruggekomen, detail voor detail en op zo'n manier compleet, afgerond en geordend dat het me niet langer verdrietig maakt. Wat een treurig verhaal, dacht ik lange tijd. Niet dat ik nu denk dat het een vrolijk verhaal is. Maar ik denk dat het klopt en dat de vraag of het een treurig of vrolijk verhaal is, verder van geen betekenis is.

In ieder geval denk ik dat wanneer ik er gewoon aan denk. Maar wanneer ik word gekwetst, komen de destijds ondergane kwetsingen opnieuw naar boven, wanneer ik me schuldig voel, de schuldgevoelens van destijds, en in het verlangen van nu, het heimwee van nu voel ik het verlangen en het heimwee van toen. De lagen van ons leven liggen zo dicht op elkaar dat we in het latere altijd het vroegere tegenkomen, niet als iets wat afgedaan en afgehandeld is, maar actueel en levend. Ik begrijp dat. Desondanks vind ik het soms moeilijk te verdragen. Misschien heb ik ons verhaal toch opgeschreven omdat ik ervan af wilde, ook al kan ik dat niet.

Hanna's geld heb ik meteen na terugkeer uit New York onder haar naam overgemaakt aan de Jewish League Against Illiteracy. Ik kreeg een korte, met de computer geschreven brief waarin de Jewish League Ms. Hanna Schmitz dankt voor haar gift. Met de brief in mijn zak ben ik naar het kerkhof, naar Hanna's graf gereden. Het was de eerste en enige keer dat ik aan haar graf stond.

Lees ook van Bernhard Schlink

Het eerste weekend

Wat is er over van de idealen van de groep rond ex-RAF-terrorist Jörg, die zijn eerste weekend in vrijheid doorbrengt?

roman, 192 blz.

De thuiskomst

Wie is de Duitse soldaat die na een avontuurlijke terugtocht uit Siberië na de Tweede Wereldoorlog thuiskomt bij zijn vrouw?

roman, 304 blz.

De oude zonden

Zit zijn niet geheel brandschone oorlogsverleden Gerhard Selb in de weg bij zijn werk als privé-detective?

drie romans in één band, 640 blz.

Meer informatie over Bernhard Schlink en de boeken van uitgeverij Cossee vindt u op onze website www.cossee.com